みんなが知りたい!

「世界のふしぎ」がわかる本

増補改訂版

「世界のふしぎ」
編集室㊢

メイツ出版

世界《せかい》の不思議《ふしぎ》マップ
P56 北極圏《ほっきょくけん》
P50 イエローストーン［アメリカ］
P72 西之島《にしのしま》［日本《にほん》］
P76 メサ・ヴェルデ［アメリカ］
P48 グランドキャニオン［アメリカ］
P66 ハワイ火山国立公園《かざんこくりつこうえん》［アメリカ］
P26 自由《じゆう》の女神像《めがみぞう》［アメリカ］
P136 厳島神社《いつくしまじんじゃ》［日本《にほん》］
P38 クリスタル・スカル［ベリーズ］
P16 アンコール・ワット［カンボジア］
P86 メキシコの古代遺跡《こだいいせき》［メキシコ］
P40 コスタリカの石球《せっきゅう》［コスタリカ］
P78 ボロブドゥル寺院遺跡《じいんいせき》［インドネシア］
P60 ガラパゴス諸島《しょとう》［エクアドル］
P88 マチュピチュ［ペルー］
P30 イースター島《とう》［チリ］
P28 ナスカの地上絵《ちじょうえ》［ペルー］
P52 グレートバリアリーフ［オーストラリア］
P56 南極圏《なんきょくけん》

P20 ストーン・ヘンジ［イギリス］
P36 ヒルフィギュア［イギリス］
P134 スターブ教会《きょうかい》［ノルウェー］
P24 ヴァチカン市国《しこく》［イタリア］
P82 フォロ・ロマーノ［イタリア］
P34 ポンペイの町《まち》［イタリア］
P80 アテネのアクロポリス［ギリシャ］
P12 タージ・マハル［インド］
P128 ラサのポタラ宮《きゅう》［中国《ちゅうごく》］
P132 聖《せい》ワシリイ聖堂《せいどう》［ロシア］
P8 万里《ばんり》の長城《ちょうじょう》［中国《ちゅうごく》］
P14 トロイの木馬《もくば》［トルコ］
P106 ロードス島《とう》の巨像《きょぞう》［ギリシャ］
P90 慶州《けいしゅう》［韓国《かんこく》］
P102 アルテミス神殿《しんでん》［トルコ］
P104 ハリカルナッソスの霊廟《れいびょう》［トルコ］
P42 ギョベクリ・テペ［トルコ］
P46 カッパドキア［トルコ］
P98 バビロンの空中庭園《くうちゅうていえん》［イラク］
P74 秦《しん》の始皇帝陵《しこうていりょう》［中国《ちゅうごく》］
P135 アヤ・ソフィア［トルコ］
P94 エジプトのピラミッド［エジプト］
P18 アブ・シンベル大神殿《だいしんでん》［エジプト］
P84 ルクソール［エジプト］
P70 マダガスカルとレムリア大陸《たいりく》
P68 シーラカンス［コモロ連合《れんごう》］
P108 アレクサンドリアの大灯台《だいとうだい》［エジプト］
P100 オリンピアのゼウス像《ぞう》［ギリシャ］
P22 ピサの斜塔《しゃとう》［イタリア］
P133 ジェンネの大《だい》モスク［マリ］
P130 サグラダ・ファミリア［スペイン］
P54 エアーズ・ロック＝ウルル［オーストラリア］

目次《もくじ》

世界《せかい》の不《ふ》思《し》議《ぎ》な遺跡《いせき》

古代《こだい》の七不思議《ななふしぎ》

宇宙《うちゅう》の不思議《ふしぎ》

不思議《ふしぎ》な建物《たてもの》

世界史年表《せかいしねんぴょう》・索引《さくいん》

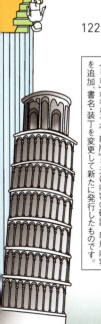

※本書は2018年発行の『みんなが知りたい!「世界のふしぎ」がわかる本 新版』を元に内容の確認、新規内容を追加、書名・装丁を変更して新たに発行したものです。

はじめに

子《こ》どもの頃《ころ》、世界中《せかいじゅう》にある不思議《ふしぎ》な建物《たてもの》や遺跡《いせき》、ナゾの数々《かずかず》を本《ほん》やテレビでドキドキしながら見《み》ていたものです。何十年《なんじゅうねん》かたって、大人《おとな》になってからも、やはりかわらず不思議《ふしぎ》なものもあるし、学者《がくしゃ》たちの調査《ちょうさ》によってナゾが解明《かいめい》されてきたものもあります。この本《ほん》を読《よ》むみなさんが大人《おとな》になる頃《ころ》には、もしかしたら科学《かがく》の力《ちから》で新《あたら》しい発見《はっけん》があったり、解明《かいめい》されているナゾもあるかもしれません。

約《やく》400万年前《まんねんまえ》に人類《じんるい》が誕生《たんじょう》したこの地球《ちきゅう》に、そして宇宙《うちゅう》に、まだまだ不思議《ふしぎ》はいっぱいです。未来《みらい》に向《む》かってそんな不思議《ふしぎ》を一《ひと》つでもみなさんが解明《かいめい》してくれることを期待《きたい》しています。

「世界《せかい》のふしぎ」編集室《へんしゅうしつ》

不《ふ》思《し》議《ぎ》な造《ぞう》作《さく》物《ぶつ》

万里《ばんり》の長城《ちょうじょう》

世界《せかい》の奇跡《きせき》といわれる、巨大《きょだい》な〃壁《かべ》〃の連続《れんぞく》。最初《さいしょ》はだれが何《なん》のために造《つく》ったのだろうか？

人類《じんるい》が生《う》んだ世界最大《せかいさいだい》の建造物《けんぞうぶつ》ともいわれる「万里《ばんり》の長城《ちょうじょう》」。建造《けんぞう》の歳月《さいげつ》の長《なが》さは世界一《せかいいち》です。

この壁《かべ》の原型《げんけい》は、紀元前《きげんぜん》7世紀頃《せいきころ》の春秋時代《しゅんじゅうじだい》に始《はじ》まるとされています。造《つく》られた理由《りゆう》は、外敵《がいてき》や異民族《いみんぞく》の侵入《しんにゅう》を防《ふせ》ぐため。当時《とうじ》、この防御壁《ぼうぎょへき》は広《ひろ》い中国《ちゅうごく》のあちこちの国《くに》で造《つく》られていました。

紀元前《きげんぜん》221年《ねん》にこの中国《ちゅうごく》をはじめて統一《とういつ》した秦《しん》の始皇帝《しこうてい》が、これらの壁《かべ》を結《むす》び、最初《さいしょ》の長城《ちょうじょう》を完成《かんせい》させます。以来《いらい》、数々《かずかず》の王朝《おうちょう》のもと修復《しゅうふく》と増築《ぞうちく》が行《おこな》われました。

▲北京近《ぺきんちか》くの八達嶺《はったつれい》にある「万里《ばんり》の長城《ちょうじょう》」

これがナゾのこたえだ!

紀元前《きげんぜん》221年《ねん》に中国《ちゅうごく》を統一《とういつ》した秦《しん》の始皇帝《しこうてい》が北方《ほっぽう》の騎馬民族《きばみんぞく》の侵入《しんにゅう》を防《ふせ》ぐために整備《せいび》しました。

▲地《ち》を這《は》う龍《りゅう》にたとえられる、山頂《さんちょう》に築《きず》かれた長城《ちょうじょう》

現存《げんぞん》する「万里《ばんり》の長城《ちょうじょう》」は、長《なが》さ約《やく》3000km。広《ひろ》い中国《ちゅうごく》に点在《てんざい》する「万里《ばんり》の長城《ちょうじょう》」には、このような未改修《みかいしゅう》の場所《ばしょ》があちらこちらにあるようです。見《み》るときには十分《じゅうぶん》に注意《ちゅうい》を。

データ1 長城《ちょうじょう》の城壁《じょうへき》はほとんどがレンガ造《づく》り、石積《いしづ》みを施《ほどこ》したところもあります。城壁《じょうへき》の大部分《だいぶぶん》は山《やま》の一番高《いちばんたか》いところにあり、高《たか》さは最高《さいこう》14m、平均約《へいきんやく》7.8mといわれています。城壁《じょうへき》には見張《みは》り台《だい》やのろし台《だい》が設《もう》けられ、防御施設《ぼうぎょしせつ》であったことを物語《ものがた》っています。

ふしぎクイズ

「万里《ばんり》の長城《ちょうじょう》」の「里《り》」は、昔《むかし》の中国《ちゅうごく》や日本《にほん》の長《なが》さの単位《たんい》です。(古代中国《こだいちゅうごく》では面積《めんせき》の単位《たんい》として使《つか》われた時代《じだい》もあった)現在《げんざい》の中国《ちゅうごく》はメートル法《ほう》ですが、一里《いちり》は約何百《やくなんびゃく》mでしょうか? 日本《にほん》では一里《いちり》は約《やく》4000m。

このクイズのこたえは2ページあとにあります。

世界中《せかいじゅう》の人々《ひとびと》が見《み》に訪《おとず》れる「万里《ばんり》の長城《ちょうじょう》」はいったいいつの時代《じだい》につくられたものなのかな？

今《いま》、中国《ちゅうごく》に残《のこ》っている万里《ばんり》の長城《ちょうじょう》のほとんどは明代《みんだい》（１３６８年《ねん》～１６４４年《ねん》）のもの。紀元前《きげんぜん》のものなどは風化《ふうか》しているようです。

現存《げんぞん》する主要《しゅよう》な部分《ぶぶん》は、東《ひがし》は渤海湾《ぼっかいわん》を望《のぞ》む山海関《さんかいかん》に始《はじ》まり、西《にし》は甘粛省《かんしゅくしょう》の嘉峪関《かよくかん》に至《いた》るまで、約《やく》３０００㎞。この長《なが》さだけでも日本列島《にほんれっとう》（約《やく》３２００㎞）とほぼ同《おな》じ。

このほかの省《しょう》・市《し》・自治区《じちく》にまたがる長城《ちょうじょう》もあり、６０００㎞とも７０００㎞ともいわれています。すべての時代《じだい》のものを合《あ》わせると約《やく》２万《まん》㎞にもなるといわれています。

▲八達嶺《はったつれい》にある「万里《ばんり》の長城《ちょうじょう》」、通称《つうしょう》「女坂《おんなざか》」の長城《ちょうじょう》

▲「関所《せきしょ》」「敵台《てきだい》」（兵隊《へいたい》の駐屯地《ちゅうとんち》、武器貯蔵庫《ぶきちょぞうこ》）「のろし台《だい》」などがある

これがナゾのこたえだ!

今《いま》ある万里《ばんり》の長城《ちょうじょう》のほとんどは明《みん》代《だい》に造《つく》られたもので、保存状態《ほぞんじょうたい》のよい八達嶺《はったつれい》の長城《ちょうじょう》は有名《ゆうめい》です。

▲八達嶺長城《はったつれいちょうじょう》の高所《こうしょ》から見《み》ると、尾根伝《おねづた》いの長城《ちょうじょう》は建築美《けんちくび》にも富《と》んでいます

城壁《じょうへき》の上部《じょうぶ》は幅《はば》が5mほどあり、10人《にん》の隊列《たいれつ》や5列《れつ》の騎馬《きば》が横並《よこなら》びで移動《いどう》できます。八達《はったつ》嶺長城《れいちょうじょう》は夏《なつ》にはライトアップもされ夜景《やけい》も楽《たの》しめるようになっています。

データ❷ 北京《ぺきん》から70㎞ほどの八達嶺長城《はったつれいちょうじょう》は、日本《にほん》だけではなく世界各国《せかいかっこく》から人々《ひとびと》が訪《おとず》れる「万里《ばんり》の長城《ちょうじょう》」の名所《めいしょ》。八達嶺以外《はったつれいいがい》にも、ロープウェイのある慕田峪長城《ぼでんよくちょうじょう》、司馬台長城《しばだいちょうじょう》、金山嶺長城《きんざんれいちょうじょう》の計《けい》4カ所《しょ》が開放《かいほう》されています。

ふしぎクイズ

八達嶺長城《はったつれいちょうじょう》は入口《いりぐち》を左手《ひだりて》に進《すす》む男坂《おとこざか》のルート、右手《みぎて》に進《すす》む女坂《おんなざか》のルートがあります。多《おお》くの観光客《かんこうきゃく》は女坂《おんなざか》を選《えら》びます。なぜでしょうか?

2ページ前《まえ》のこたえ　約《やく》500m

タージ・マハル

“これは宮殿《きゅうでん》!?”とだれもが思《おも》う美《うつく》しい建物《たてもの》。皇帝《こうてい》が22年《ねん》もかけて造《つく》ったものは何《なん》だろう?

16世紀前半《せいきぜんはん》から北《きた》インドを統一《とういつ》したムガール帝国《ていこく》は、全《ぜん》インドを支配下《しはいか》におき大《おお》きな力《ちから》を持《も》っていました。タージ・マハルは5代皇帝《だいこうてい》シャー・ジャハーンが亡《な》き王妃《おうひ》のために建《た》てた美《うつく》しいお墓《はか》です。

眠《ねむ》っている王妃《おうひ》の名前《なまえ》はムムターズ・マハル。普段《ふだん》はタージと呼《よ》ばれていました。タージのお墓《はか》だから、タージ・マハルです。

シャー・ジャハーンは、タージ・マハルの対岸《たいがん》に宮殿《きゅうでん》を造《つく》ろうとしました。ずっとタージ・マハルを見《み》ていたかったのです。

▲正面《しょうめん》から見《み》たタージ・マハル

これがナゾのこたえだ!

タージ・マハルは、皇帝《こうてい》シャー・ジャハーンがつくった奥《おく》さんのためのお墓《はか》だったのです。

▲対岸《たいがん》から見《み》たタージ・マハル

広大《こうだい》な庭園《ていえん》の北端《ほくたん》には、高《たか》さ約《やく》5.5m、中央《ちゅうおう》に高《たか》さ約《やく》25mの大《だい》ドームを載《の》せた建物《たてもの》。白大理《しろだいり》石《せき》で造《つく》られています。夕日《ゆうひ》の中《なか》で水面《すいめん》に映《うつ》る(写真上《しゃしんうえ》)、美《うつく》しい建物《たてもの》です。

データ 1632年《ねん》から22年《ねん》の歳月《さいげつ》をかけてつくったものです。腕利《うでき》きの職人《しょくにん》を集《あつ》め、のべ2万人《まんにん》が携《たずさ》わった大《おお》きな国家事業《こっかじぎょう》でした。妻《つま》へ捧《ささ》げる愛《あい》の記念碑《きねんひ》ですが、浪費《ろうひ》と息子《むすこ》に言《い》われ、タージ・マハルを見《み》つめる黒《くろ》の大理石《だいりせき》の宮殿《きゅうでん》はつくられませんでした。

ふしぎクイズ ムガール帝国《ていこく》は、18世紀《せいき》になるとその勢力《せいりょく》が弱《よわ》まります。1857年《ねん》の「セポイの乱《らん》」で最後《さいご》の皇帝《こうてい》が敵国《てきこく》に捕《と》らわれてしまいます。この敵国《てきこく》とはどこでしょうか?

2ページ前《まえ》のこたえ　坂《さか》の勾配《こうばい》が急《きゅう》な男坂《おとこざか》に対《たい》し、女坂《おんなざか》の方《ほう》が比較的登《ひかくてきのぼ》りやすいため

トロイの木馬《もくば》

ギリシア神話《しんわ》・トロイア戦争《せんそう》での“トロイの木馬《もくば》”という見事《みごと》な戦法《せんぽう》とは？

神々《かみがみ》と英雄《えいゆう》たちの物語《ものがたり》である、ギリシア神話《しんわ》。紀元前《きげんぜん》8～9世紀頃《せいきころ》ホメーロスなどによって記述《きじゅつ》されたとされています。

トロイの木馬《もくば》は、紀元前《きげんぜん》1250年《ねん》頃起《ころお》こったといわれるトロイア戦争《せんそう》の話《はなし》のなかに出《で》てきます。

ギリシア軍《ぐん》とトロイ軍《ぐん》の戦争《せんそう》は10年《ねん》も続《つづ》いたが、決着《けっちゃく》がつかず手《て》づまりになっていました。この時《とき》、ギリシア軍《ぐん》のオデュッセウスが、木馬《もくば》を作《つく》って人《ひと》をひそませ、それをトロイ軍《ぐん》のいるトロイア市内《しない》に運《はこ》び込《こ》ませることを提案《ていあん》しました。

木馬《もくば》が完成《かんせい》すると、このなかにオデュッセウスらのギリシア兵《へい》が入《はい》りました。このほかの兵士《へいし》は、戦争《せんそう》をあきらめたように小屋《こや》を焼《や》き、近《ちか》くの島《しま》に移動《いどう》しました。

トロイ軍《ぐん》は木馬《もくば》だけが残《のこ》され、ギリシア軍《ぐん》は去《さ》ってしまい、勝利《しょうり》がもたらされたと信《しん》じました。トロイ軍《ぐん》はこの木馬《もくば》をあやしみますが、最後《さいご》は城内《じょうない》に運《はこ》び込《こ》んでしまい、勝利《しょうり》の宴《うたげ》に酔《よ》い、眠《ねむ》ってしまいます。この時《とき》、木馬《もくば》から出《で》てきた兵士《へいし》たちが島《しま》にいた味方《みかた》の軍《ぐん》を引《ひ》き入《い》れ、トロイアを滅《ほろ》ぼしました。

これがナゾのこたえだ!

大《おお》きな木馬《もくば》に兵《へい》を乗《の》せ、敵方《てきがた》が自《じ》陣《じん》に木馬《もくば》を引《ひ》き入《い》れた後《あと》、兵《へい》が出《で》てきて敵方《てきがた》を滅《ほろ》ぼしました。

▲19世紀《せいき》のエッチングによる「トロイの木馬《もくば》」

トルコにあるトロイ遺跡《いせき》の入口前《いりぐちまえ》に、3階建《かいだ》てくらいの高《たか》さの「トロイの木馬《もくば》」があります。観光客用《かんこうきゃくよう》のもので、はしごがついていて、木馬《もくば》のなかに入《はい》ることができます。

データ

トロイ軍《ぐん》が木馬《もくば》を城内《じょうない》に入《い》れた理由《りゆう》は、木馬《もくば》とともに残《のこ》したギリシア兵《へい》が「木馬《もくば》はトロイアの女神《めがみ》アテナに献上《けんじょう》するもの」と説明《せつめい》。それを疑《うたが》うトロイ軍《ぐん》のラオコーンは木《もく》馬《ば》にヤリを投《な》げつけるが、大蛇《おろち》が現《あらわ》れラオコーンたちを殺《ころ》したため、城内《じょうない》に木馬《もくば》を入《い》れました。

ふしぎクイズ

現代《げんだい》では「トロイの木馬《もくば》」といえば、コンピュータの脅威《きょうい》となる悪質《あくしつ》なプログラムのこと。これは、普通《ふつう》のソフト(ゲームなど)のように見《み》せかけ、実行《じっこう》すると、コンピュータの内部《ないぶ》に侵入《しんにゅう》し、コンピュータから秘密情報《ひみつじょうほう》を持《も》ち出《だ》したりします。コンピュータ○○○○ではないので、増殖《ぞうしょく》や感染《かんせん》はしません。○○○○の部分《ぶぶん》には、何《なに》が入《はい》るでしょう?

2ページ前《まえ》のこたえ　大英帝国《だいえいていこく》(イギリス、イングランド)

アンコール・ワット

カンボジアの密林《みつりん》にある、アジアの至宝《しほう》といわれるアンコール・ワットって何《なん》なのかな？

カンボジア北部《ほくぶ》のシェムリアップ近郊《きんこう》にある、アンコール遺跡《いせき》は20カ所《しょ》以上《いじょう》の地域《ちいき》に散《ち》らばっています。そのなかの代表的《だいひょうてき》な遺跡《いせき》がアンコール・ワット。これはアンコール王朝《おうちょう》の王《おう》、スールヤバルマン2世《せい》（1113〜1150年《ねん》）が建《た》てたヒンドゥー教寺院《きょうじいん》の遺跡《いせき》です。

寺院全体《じいんぜんたい》は、南北《なんぼく》1300m、東《とう》西《ざい》1500m、周囲《しゅうい》は幅《はば》190mもある環濠《かんごう》（水路《すいろ》）で囲《かこ》まれています。石造建築《せきぞうけんちく》の中央《ちゅうおう》には3つの回廊《かいろう》を持《も》つ、中央祠堂《ちゅうおうしどう》があり、その中心《ちゅうしん》には高《たか》さ65mの尖塔《せんとう》がそびえています。

▲西参道《にしさんどう》から見《み》た、中央塔《ちゅうおうとう》。尖塔《せんとう》は３つに見《み》えますが、真《ま》ん中《なか》が高《たか》さ65ｍの尖塔《せんとう》で、これを囲《かこ》むように４つの尖塔《せんとう》があるので５つになります

▲第一回廊《だいいちかいろう》、第二回廊《だいにかいろう》に続《つづ》き、最《もっと》も内側《うちがわ》にある第三回廊《だいさんかいろう》と中央塔《ちゅうおうとう》

これがナゾのこたえだ!

12世紀《せいき》前半《ぜんはん》にアンコール王朝《おうちょう》の王《おう》が造《つく》った石造《せきぞう》建築《けんちく》のヒンドゥー教《きょう》寺院《じいん》の遺跡《いせき》です。

これは南側正面《みなみがわしょうめん》から見《み》た、北門《きたもん》。アンコール・ワットには右下写真《みぎしたしゃしん》の西参道《にしさんどう》（西門《にしもん》）を正面《しょうめん》とし、裏門《うらもん》にあたる東門《ひがしもん》、さらに南門《みなみもん》と東西南北《とうざいなんぼく》に門《もん》があります。

データ

アンコール王朝《おうちょう》はクメール人《じん》（現在《げんざい》のカンボジア人《じん》）によって802年《ねん》に興《おこ》されました。13世紀《せいき》には西《にし》はメナム河《がわ》、北《きた》はラオスの南部地方《なんぶちほう》、東《ひがし》はベトナムの半分《はんぶん》くらいまで、勢力《せいりょく》を広《ひろ》げました。ワットはクメール語《ご》で「寺《てら》」という意味《いみ》です。

ふしぎクイズ

1715年《ねん》（江戸時代《えどじだい》）にアンコール・ワットを訪《おとず》れた森本右近太夫《もりもとうこんだゆう》という人《ひと》が、石壁《いしかべ》に墨《すみ》で意味不明《いみふめい》のものを書《か》き残《のこ》しています。今《いま》でも、学校《がっこう》の柱《はしら》や壁《かべ》に残《のこ》す人《ひと》がいますが、これはふつう何《なん》というでしょうか?

2ページ前《まえ》のこたえ　ウイルス

アブ・シンベル大神殿《だいしんでん》

古代《こだい》エジプトのファラオ（君主《くんしゅ》）はすごい！高《たか》さ20mもある4体《たい》の石像《せきぞう》はだれでしょう？

ラムセス2世《せい》は古代《こだい》エジプト第《だい》19王朝《おうちょう》のファラオのひとりで、自《じ》己顕示欲《こけんじよく》が非常《ひじょう》に強《つよ》い王《おう》でした。この大神殿《だいしんでん》の全体《ぜんたい》の高《たか》さは33m、坐像《ざぞう》の高《たか》さは20mで4体《たい》ともラムセス2世《せい》です。中央《ちゅうおう》（神殿入口《しんでんいりぐち》の上《うえ》）の小《ちい》さな像《ぞう》が太陽神《たいようしん》です。まるで太陽神《たいようしん》と同等以上《どうとういじょう》の力《ちから》を持《も》っていることを現《あらわ》しているようです。

アブ・シンベル大神殿《だいしんでん》の隣《となり》には小神《しょうしん》殿《でん》があり、王妃《おうひ》ネフェルタリのためにラムセス2世《せい》が建《た》てたものです。6つの立像《りつぞう》がありますが、4つはラムセス2世《せい》です。

▲左《ひだり》から２番目《ばんめ》の像《ぞう》の頭《あたま》の部分《ぶぶん》がありませんが、これは崩《くず》れ落《お》ちたもので足《あし》もとに転《ころ》がっています

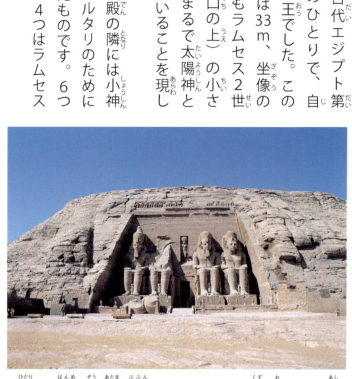

これがナゾのこたえだ!

これはラムセス2世《せい》が建《た》てた大神殿《だいしんでん》で、高《たか》さ20mの像《ぞう》は4体《たい》とも本人《ほんにん》を表《あらわ》しています。

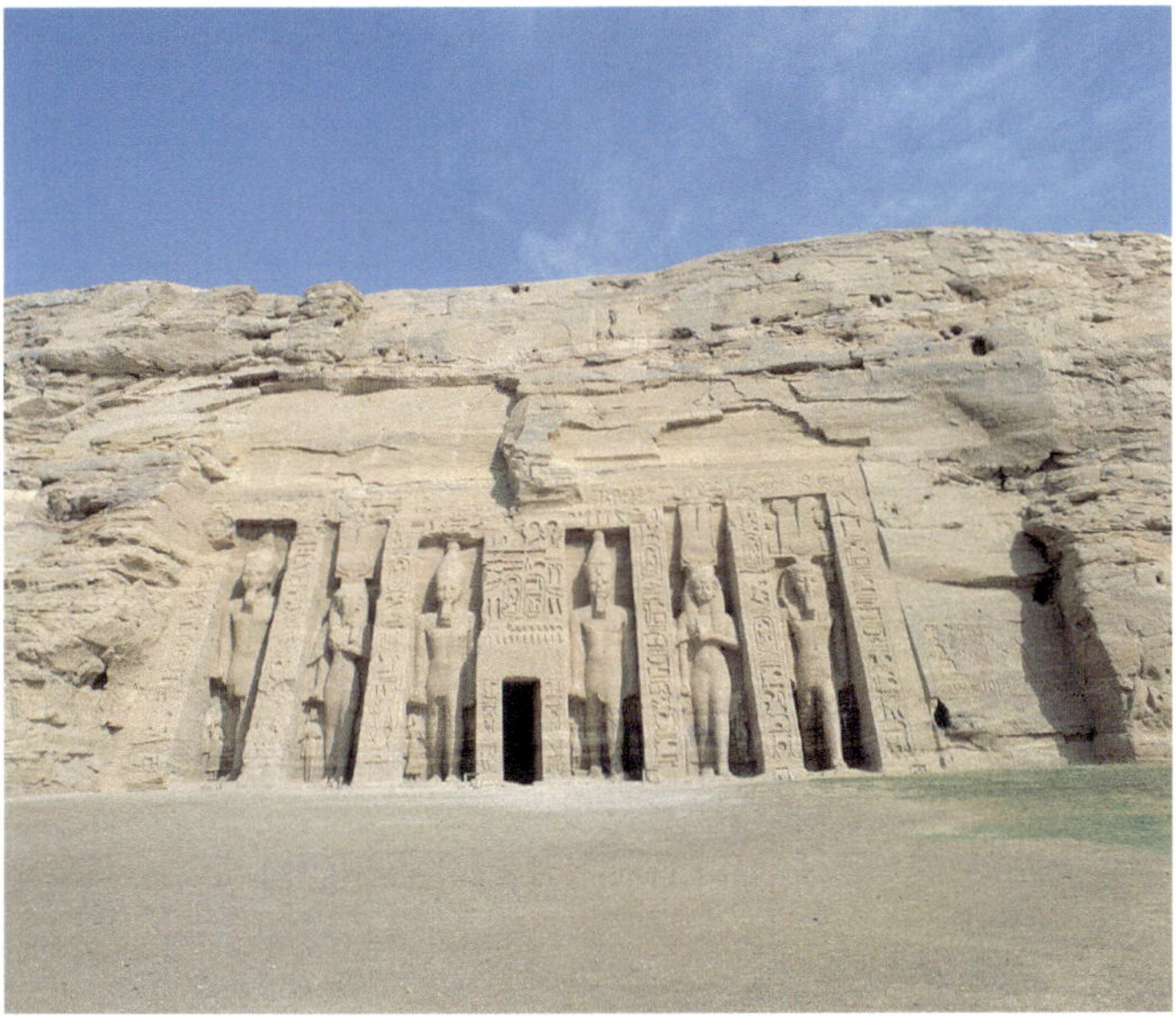

▲アブ・シンベル小神殿《しょうしんでん》。中央《ちゅうおう》の両脇《りょうわき》の2体《たい》が王妃《おうひ》ネフェルタリ、その2体《たい》を脇《わき》にある2体《たい》（計《けい》4体《たい》）のラムセス2世《せい》が挟《はさ》んでいます

アブ・シンベル大神殿《だいしんでん》のなかには3つの神《かみ》とラムセス2世《せい》、4つの像《ぞう》がある至聖所《しせいじょ》があります。春分《しゅんぶん》と秋分《しゅうぶん》の日《ひ》の2日間《かかん》だけ、ここに光《ひかり》が差《さ》し込《こ》むようになっています。

データ

神殿《しんでん》はアスワン・ハイ・ダムの建設《けんせつ》で水没《すいぼつ》してしまう危機《きき》にありましたが、1964年《ねん》、ユネスコ指導《しどう》の救済運動《きゅうさいうんどう》で日本《にほん》を含《ふく》め35カ国《こく》の資金援助《しきんえんじょ》を受《う》けました。神殿《しんでん》を1042個《こ》のブロックに切断《せつだん》し、4年間《ねんかん》かけて元《もと》の位置《いち》より65m高《たか》い現在《げんざい》の場所《ばしょ》に移動《いどう》しました。

ふしぎクイズ

ファラオは古代《こだい》エジプトの君主《くんしゅ》の呼《よ》び名《な》です。初期王朝《しょきおうちょう》（紀元前《きげんぜん》3150年《ねん》～2686年《ねん》）に始《はじ》まり、第《だい》31王朝《おうちょう》まで続《つづ》き、プトレマイオス朝《ちょう》（紀元前《きげんぜん》332年《ねん》～30年《ねん》）で終《お》わります。一《ひと》つの王朝《おうちょう》は、多《おお》くのファラオで継承《けいしょう》されています。ラムセス2世《せい》は、いくつめの王朝《おうちょう》（第《だい》○○王朝《おうちょう》）のファラオでしょうか?

2ページ前《まえ》のこたえ　落書《らくが》き

ストーン・ヘンジ

宇宙《うちゅう》との交信施設《こうしんしせつ》か？ 古代人《こだいじん》の空想《くうそう》か？ ストーン・ヘンジの謎《なぞ》ときに挑戦《ちょうせん》してみよう。

イギリスの南部《なんぶ》、ソールズベリー地方《ちほう》にあるストーン・ヘンジ。

馬《うま》のひづめの形《かたち》をした場所《ばしょ》に、大小《だいしょう》の石《いし》が組《く》み合《あ》わされて建《た》てられています。太陽《たいよう》と月《つき》の出入《でい》りを計《はか》ってつくったようだ、と考《かんが》えられていますが、こんな大《おお》きなものが必要《ひつよう》だったのでしょうか？

石《いし》を組《く》んだのが紀元前《きげんぜん》2500年《ねん》から2000年《ねん》、そのまわりは3500年前《ねんまえ》と長《なが》い時間《じかん》をかけてつくられていることはわかっています。それだけ、長《なが》い間必要《あいだひつよう》なものだったということですね。

▲UFO《ユーフォー》の飛行場《ひこうじょう》なんだといわれるとそう思《おも》える

これがナゾのこたえだ!

太陽《たいよう》と月《つき》の出入《でい》りをはかる天文観《てんもんかん》測所《そくじょ》という説《せつ》もあるようですが、こたえは謎《なぞ》のままです。

▲2000年《ねん》以上《いじょう》変《かわ》らない夕焼《ゆうや》けのストーンヘンジ

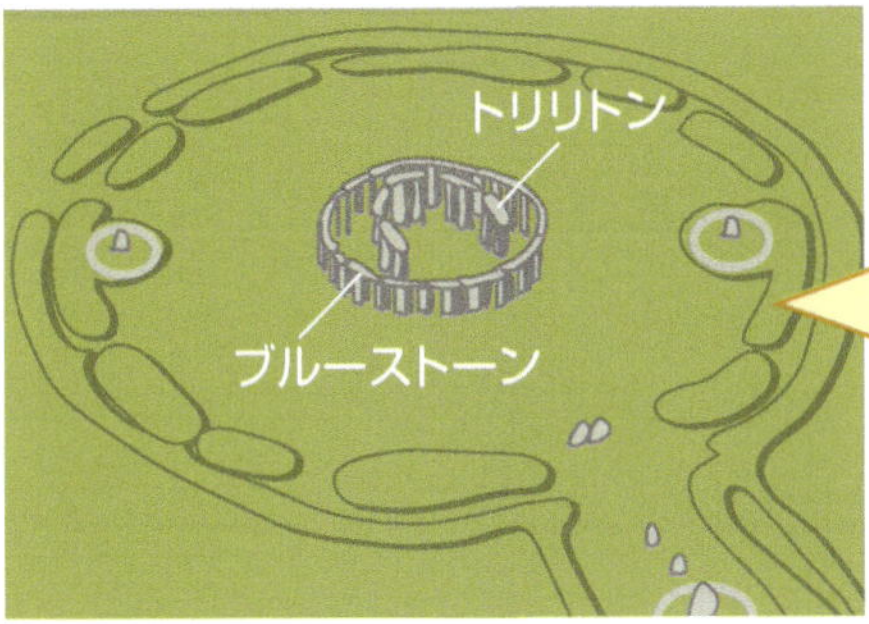

中央《ちゅうおう》の馬《うま》のひづめのような部《ぶ》分《ぶん》をトリリトンといい、7mの石《いし》が5組《くみ》、そのまわりのブルーストーンは30個《こ》の石《いし》が直径《ちょっけい》100mの円形《えんけい》に建《た》てられています。

データ

1963年《ねん》、イギリスの天文学者《てんもんがくしゃ》ホーキンスが書《か》いた本《ほん》「ストーン・ヘンジの謎《なぞ》は解《と》かれた」の中《なか》で「月《つき》と太陽《たいよう》に基《もと》づく数多《かずおお》くの天文学的《てんもんがくてき》な配置《はいち》が見《み》られる」ことと「日食《にっしょく》を予測《よそく》するために使《つか》われた可能性《かのうせい》がある」と書《か》いています。

ふしぎクイズ

多《おお》くの国《くに》で使《つか》われている暦《こよみ》は、グレゴリオ暦《れき》というもので、1年《ねん》を365.2425日《にち》とするものです。では、1年《ねん》は365日《にち》といわれていますが、この半端《はんぱ》な0.2425日《にち》はどこで調整《ちょうせい》するのでしょうか?

2ページ前《まえ》のこたえ　第《だい》19王朝《おうちょう》

ピサの斜塔《しゃとう》

ナナメに建《た》っている不思議《ふしぎ》なピサの斜塔《しゃとう》。どうしてこんなに傾《かたむ》いちゃったのかな？

1173年《ねん》に着工《ちゃっこう》されたピサの斜塔《しゃとう》。しかし、4階部分《かいぶぶん》まで工事《こうじ》が進《すす》んだときに塔《とう》が北向《きたむ》きに傾《かたむ》き始《はじ》め、現在《げんざい》も斜《なな》めに建《た》っています。これは、地面《じめん》が弱《よわ》いために重《おも》さで沈《しず》んでしまったのです。

工事《こうじ》はいったん中止《ちゅうし》にされましたが、1275年《ねん》より再開《さいかい》。ジョヴァンニ・ディ・シモーネらによって、14世紀《せいき》後半《こうはん》に完成《かんせい》させることができました。完成後《かんせいご》も塔《とう》が微妙《びみょう》に傾《かたむ》き続《つづ》けるため1990年《ねん》から2001年《ねん》まで修復工事《しゅうふくこうじ》が行《おこな》われました。

▲600年以上《ねんいじょう》も傾《かたむ》いたまま建《た》っているピサの斜塔《しゃとう》

これがナゾのこたえだ!

やわらかい土地《とち》に建《た》ててしまったため、地面《じめん》が下《さ》がってしまい工事《こうじ》の途中《とちゅう》で塔《とう》が傾《かたむ》いたのです。

▲写真中央《しゃしんちゅうおう》は、緑《みどり》の芝生《しばふ》が美《うつく》しい広場《ひろば》の中央《ちゅうおう》にそびえる大聖堂《だいせいどう》。どれだけピサの斜塔《しゃとう》が傾《かたむ》いているのかよくわかります

ドゥオモの鐘楼《しょうろう》として着工《ちゃっこう》されたピサの斜塔《しゃとう》。円筒型《えんとうがた》8階建《かいだ》て、円柱《えんちゅう》が美《うつく》しい6層《そう》の回《まわ》り廊下《ろうか》が中心《ちゅうしん》の塔《とう》を囲《かこ》んでいます。地上約《ちじょうやく》55mおよそ1万《まん》5千《せん》tの建物《たてもの》です。ちなみに初《はじ》めの計画《けいかく》では高《たか》さ100mを予定《よてい》していましたが、それは実現《じつげん》できませんでした。

データ

完成後《かんせいご》も塔《とう》が微妙《びみょう》に傾《かたむ》き続《つづ》けるため、コンクリートの流《なが》し込《こ》みなどの傾斜対策《けいしゃたいさく》が施《ほどこ》されました。しかし、傾《かたむ》きは止《と》まらず、安全上《あんぜんじょう》の問題《もんだい》で1990年《ねん》に一般公開《いっぱんこうかい》を中止《ちゅうし》。10年《ねん》に及《およ》ぶ本格的《ほんかくてき》な修復工事《しゅうふくこうじ》が行《おこな》われて、2001年《ねん》6月《がつ》から一般公開《いっぱんこうかい》を再開《さいかい》しています。

ふしぎクイズ

ピサの斜塔《しゃとう》の頂上《ちょうじょう》から重《おも》さの違《ちが》う大小《だいしょう》2種類《しゅるい》の球《たま》を同時《どうじ》に落《お》とし、両方《りょうほう》が同時《どうじ》に着地《ちゃくち》することを証明《しょうめい》し、落下《らっか》の法則《ほうそく》を発見《はっけん》したというエピソードが残《のこ》る、偉大《いだい》な科学者《かがくしゃ》は誰《だれ》でしょう?

2ページ前《まえ》のこたえ　うるう年《どし》（2月《がつ》29日《にち》）

ヴァチカン市国《しこく》

世《せ》界《かい》一《いち》小《ちい》さな面積《めんせき》の国《くに》、ヴァチカン市国《しこく》。なぜローマ市《し》のなかにできたのかな？

ヴァチカン市国《しこく》が誕生《たんじょう》したのは、1929年《ねん》、法王《ほうおう》にイタリア政府《せいふ》を認《みと》めてもらうかわりに、法王《ほうおう》が法王領《ほうおうりょう》の権利《けんり》を放棄《ほうき》して、ヴァチカン一帯《いったい》を独立国《どくりつこく》として認《みと》め、イタリアでのカトリック教会《きょうかい》の特別《とくべつ》な地位《ちい》を保証《ほしょう》するという条約《じょうやく》を結《むす》んだからです。

349年《ねん》、ペテロの墓《はか》の上《うえ》に、聖《せい》ピエトロ聖堂《せいどう》を建設《けんせつ》したことから、この地《ち》がカトリックの中心《ちゅうしん》になり、法王《ほうおう》が元首《げんしゅ》（国《くに》の代表者《だいひょうしゃ》）になると決《き》まっています。現法王《げんほうおう》は、第《だい》266代《だい》フランシスコ法王《ほうおう》です。

▲「和解《わかい》の道《みち》」から見《み》たサンピエトロ大聖堂《だいせいどう》

これがナゾのこたえだ!

イタリア政府《せいふ》と、ローマ法王庁《ほうおうちょう》との間《あいだ》で結《むす》ばれた、ラテラノ条約《じょうやく》で国《くに》が誕生《たんじょう》しました。

▲堀《ほり》に囲《かこ》まれたバチカン一帯《いったい》は美《うつく》しい

サンピエトロ大聖堂《だいせいどう》には多《おお》くのキリスト教信者《きょうしんじゃ》が訪《おとず》れます。大《おお》きな聖堂《せいどう》は圧巻《あっかん》です。

◀ヴァチカンの国旗《こっき》
黄《き》と白《しろ》は法王庁《ほうおうちょう》の衛兵《えいへい》の帽子《ぼうし》の色《いろ》。法王《ほうおう》の冠《かんむり》と金銀《きんぎん》のペテロの鍵《かぎ》が描《えが》かれています

データ

ヴァチカン市国《しこく》はイタリア、ローマ市《し》の中《なか》にあって、東西《とうざい》1.2km、南北《なんぼく》1kmで、ローマとの境界《きょうかい》はすべて塀《へい》で囲《かこ》まれています。面積《めんせき》は日本《にほん》の皇居《こうきょ》の約《やく》1/3の108エーカー（0.44km²）です。市民《しみん》は820人《にん》（2018年《ねん》10月現在《がつげんざい》）。世界一《せかいいち》小《ちい》さな国《くに》です。

ふしぎクイズ

1929年《ねん》、ヴァチカンはイタリアから独立《どくりつ》します。サンピエトロ大聖堂《だいせいどう》の前《まえ》の住宅《じゅうたく》を撤去《てっきょ》して大《おお》きな道《みち》をつくり、それを「和解《わかい》の道《みち》」と名《な》づけました。このときのイタリアの首相《しゅしょう》は誰《だれ》でしょう?

2ページ前《まえ》のこたえ　ガリレオ・ガリレイ

自由《じゆう》の女神像《めがみぞう》

アメリカといえば思《おも》い浮《う》かぶのが自由《じゆう》の女神《めがみ》。自由《じゆう》の女神《めがみ》の内部《ないぶ》ってどうなっているのかな？

１８８６年《ねん》、アメリカ合衆国独立《がっしゅうこくどくりつ》１００周年《しゅうねん》のお祝《いわ》いにフランスから贈《おく》られた自由《じゆう》の女神像《めがみぞう》。左手《ひだりて》に独立《どくりつ》宣言書《せんげんしょ》、右手《みぎて》にたいまつを高々《たかだか》と掲《かか》げる女神《めがみ》は、マンハッタン沖《おき》２㎞に浮《う》かぶリバティ・アイランドに立《た》ち、現在《げんざい》は世界遺産《せかいいさん》にも認定《にんてい》されています。台座部分《だいざぶぶん》はアメリカ移民《いみん》の博物館《はくぶつかん》になっていて、エマ・ラザラスの「新大国《しんたいこく》」という14行詩《ぎょうし》が刻《きざ》まれています。

女神像《めがみぞう》は内部《ないぶ》に階段《かいだん》があり女神《めがみ》の冠部分《かんむりぶぶん》まで昇《のぼ》れ、女神目線《めがみめせん》でアメリカの地上《ちじょう》を見渡《みわた》せます。

▲アメリカ、ニューヨークのシンボルになっている自由《じゆう》の女神像《めがみぞう》

これがナゾのこたえだ!

内部《ないぶ》には171段《だん》のらせん階段《かいだん》があり、女神《めがみ》の冠部分《かんむりぶぶん》に上《あ》がることができます。

女神《めがみ》の冠部分《かんむりぶぶん》がニューヨークを見《み》わたす展望台《てんぼうだい》として人気《にんき》の観光《かんこう》スポットに。2001年《ねん》に起《お》きた同時多発《どうじたはつ》テロの影響《えいきょう》で内部《ないぶ》は一度閉鎖《いちどへいさ》されましたが、2009年《ねん》に再《ふたた》び入場《にゅうじょう》を再開《さいかい》しました。

▲自由《じゆう》を象徴《しょうちょう》する女神《めがみ》として、世界中《せかいじゅう》の人々《ひとびと》を見守《みまも》っています

データ

自由《じゆう》の女神像《めがみぞう》は、フランスのパリにもあります。パリに住《す》むアメリカ人《じん》たちがフランス革命《かくめい》100周年《しゅうねん》を記念《きねん》して、パリに自由《じゆう》の女神像《めがみぞう》を贈《おく》りました。アメリカのものよりも小《ちい》さめで、セーヌ川《がわ》のグルネル橋《ばし》のたもとに立《た》っています。

ふしぎクイズ

アメリカとフランス以外《いがい》にも自由《じゆう》の女神像《めがみぞう》が立《た》っている国《くに》がありますが、それはどこの国《くに》でしょう?

2ページ前《まえ》のこたえ　ムッソリーニ

ナスカの地上絵《ちじょうえ》

なぜ？　どうして？　砂漠《さばく》に広《ひろ》がる地上絵《ちじょうえ》の謎《なぞ》！ナスカの地上絵《ちじょうえ》って何《なん》のために描《えが》かれたの？

ペルーの首都《しゅと》リマから南《みなみ》へ400㎞、アンデス山脈《さんみゃく》と太平洋《たいへいよう》にはさまれた砂漠地帯《さばくちたい》に刻《きざ》まれた巨大《きょだい》な地上絵《ちじょうえ》の数々《かずかず》。紀元前《きげんぜん》200年《ねん》～紀元後《きげんご》800年頃《ねんごろ》のナスカ文化《ぶんか》の時代《じだい》に描《えが》かれたとされる絵《え》は、幾何学模様《きかがくもよう》あり、動植物《どうしょくぶつ》をかたどった図形《ずけい》ありとさまざまです。大《おお》きさも数十《すうじゅう》ｍから数十《すうじゅっ》㎞におよぶものまで、700を超《こ》す地上絵《ちじょうえ》が確認《かくにん》されていますが、誰《だれ》が、何《なん》のために、どのようにして描《えが》いたのか多《おお》くの謎《なぞ》が今《いま》も解明《かいめい》されないまま残《のこ》っています。

作成方法《さくせいほうほう》も謎《なぞ》につつまれています。セスナ機《き》に乗《の》って、はるか上空《じょうくう》に上《あ》がり、やっとその全体像《ぜんたいぞう》を見渡《みわた》すことができるナスカの地上絵《ちじょうえ》。そんな巨大《きょだい》な作品《さくひん》を、飛行技術《ひこうぎじゅつ》がまだ生《う》まれていなかった時代《じだい》にどのようにして描《えが》き上《あ》げたのかも大《おお》きな謎《なぞ》として残《のこ》っています。

大《おお》きな絵《え》を描《えが》くときに用《もち》いられる拡大図法《かくだいずほう》という手法《しゅほう》を持《も》ってしても、ナスカの地上絵《ちじょうえ》のような超大作《ちょうたいさく》を描《えが》くことは不可能《ふかのう》と考《かんが》えられています。

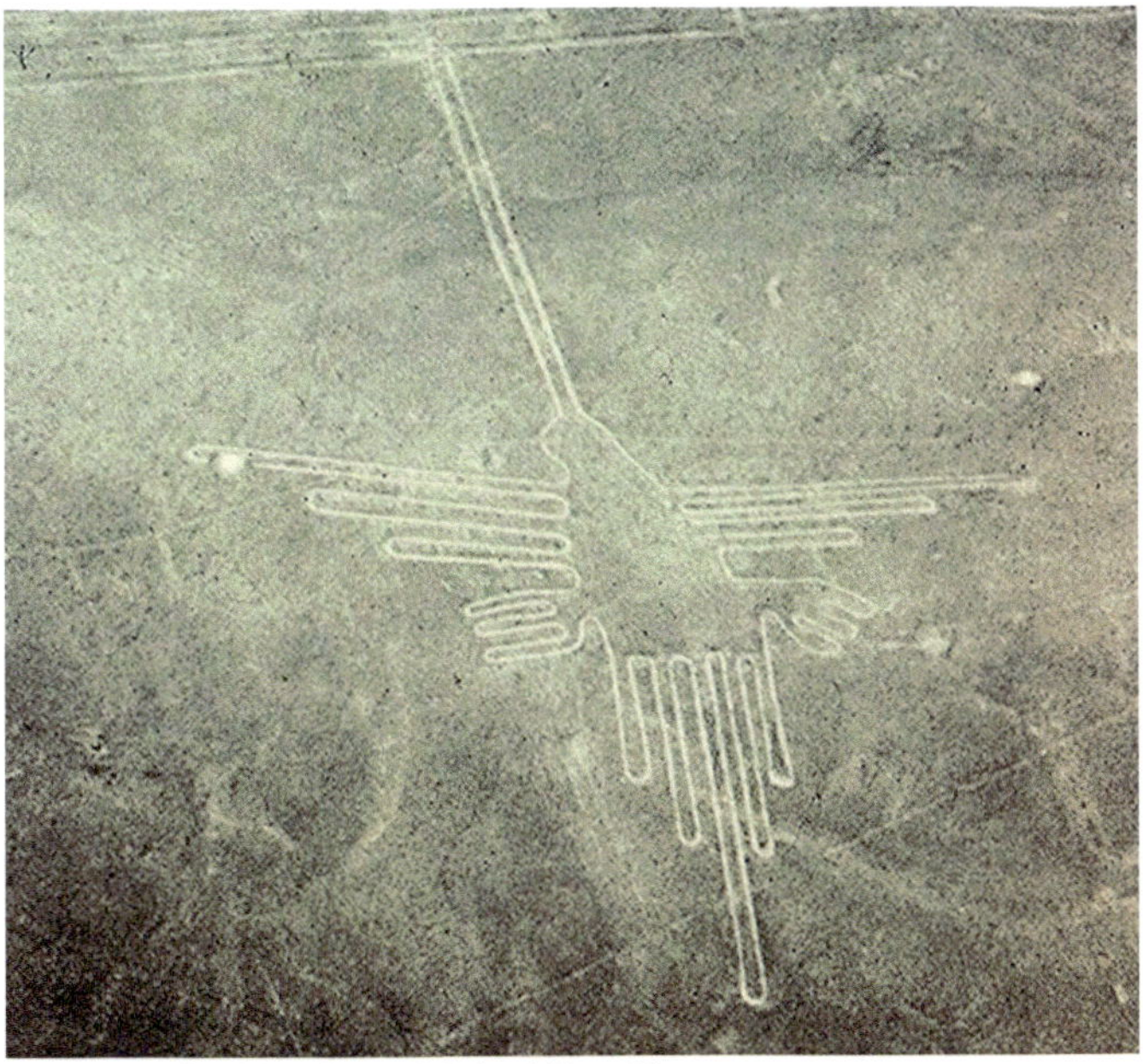

▲ナスカの地上絵《ちじょうえ》の中《なか》でも輪郭《りんかく》が鮮明《せんめい》に残《のこ》っているハチドリ

これがナゾのこたえだ！

「天文観測説《てんもんかんそくせつ》」「宇宙船発着説《うちゅうせんはっちゃくせつ》」「雨乞《あまご》い説《せつ》」などの仮説《かせつ》がありますが、いまだ判明《はんめい》していません。

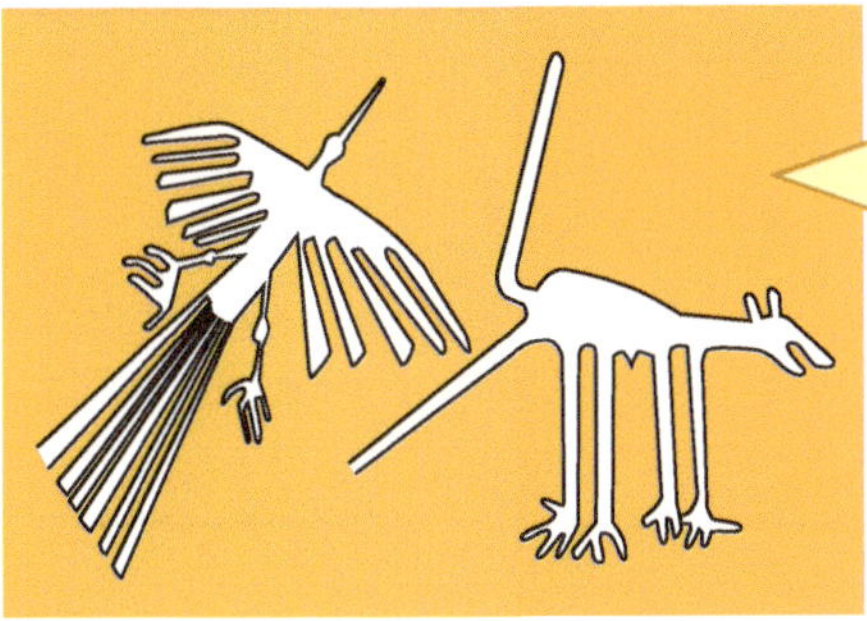

動物《どうぶつ》の図柄《ずがら》に隠《かく》された謎《なぞ》！

褐色《かっしょく》の地面《じめん》を掘《ほ》り起《お》こし、白《しろ》い層《そう》を露出《ろしゅつ》させるエッチングの手法《しゅほう》で描《えが》かれた図柄《ずがら》は、コンドルやイヌなどまるで動物図鑑《どうぶつずかん》のようです。

データ

アンデスの山《やま》の向《む》こうにしか生息《せいそく》しないサルの絵《え》が描《えが》かれているのも、謎《なぞ》のひとつとされています。もっと不思議《ふしぎ》なのはクモの絵《え》。アマゾンのジャングルにいる珍《めずら》しい種《しゅ》を当時《とうじ》の人々《ひとびと》がどうして知《し》ることができたのか判明《はんめい》していません。

ふしぎクイズ

700を超《こ》す、さまざまな絵《え》が確認《かくにん》されているナスカの地上絵《ちじょうえ》ですが、最《もっと》も大《おお》きな絵《え》はどんな図柄《ずがら》で、どれくらいの規模《きぼ》のものでしょうか?

2ページ前《まえ》のこたえ　日本《にっぽん》の東京《とうきょう》お台場《だいば》

イースター島《とう》

人間《にんげん》の顔《かお》のような形《かたち》がユーモラスなモアイ像《ぞう》。モアイ像《ぞう》は何《なん》のためにつくられたのかな？

南《みなみ》アメリカのチリ海岸《かいがん》から西《にし》へ3800㎞に浮《う》かぶイースター島《とう》。島全体《しまぜんたい》が国立公園《こくりつこうえん》になっていて、面積《めんせき》は約《やく》180㎢。北海道《ほっかいどう》の利尻島《りしりとう》とほとんど同《おな》じ大《おお》きさです。そこには人面《じんめん》を模《も》した巨大《きょだい》な石像《せきぞう》モアイが、建造途中《けんぞうとちゅう》のものを含《ふく》め約《やく》1000体以上《たいいじょう》あります。高《たか》さは平均《へいきん》4m～5mで、最大《さいだい》のものは約《やく》90tもあります。島《しま》の先《せん》住民《じゅうみん》は、4～5世紀頃《せいきごろ》にポリネシアからやってきたと推測《すいそく》され、モアイは彼《かれ》らによって10～16世紀《せいき》にかけてつくられたと考《かんが》えられています。

島《しま》の東部《とうぶ》にあるラノ・ララク山《さん》の斜面《しゃめん》には、つくりかけのまま放置《ほうち》されたモアイが約《やく》400体《たい》も残《のこ》されています。モアイの製造工場《せいぞうこうじょう》だったと考《かんが》えられていますが、ここでつくられたモアイがどのようにして島中《しまじゅう》に運《はこ》ばれていったかは大《おお》きな謎《なぞ》として残《のこ》っています。

最大《さいだい》の謎《なぞ》は、その制作目的《せいさくもくてき》。島《しま》は豊《ゆた》かではなく、また、建立《こんりゅう》にはたいへんな労力《ろうりょく》が必要《ひつよう》であることを考《かんが》えると、なぜモアイをつくったのかは今《いま》も謎《なぞ》に包《つつ》まれています。

これがナゾのこたえだ!

亡《な》くなった部族《ぶぞく》の重要人物《じゅうようじんぶつ》をしのんでつくられたという説《せつ》のほか、さまざまな説《せつ》がとなえられていますが、本当《ほんとう》のところはどうなのか現在《げんざい》もわかっていません。

▲夕焼《ゆうや》けに神秘的《しんぴてき》に浮《う》かぶモアイのシルエット

データ1

島中《しまじゅう》の多《おお》くのモアイが海岸《かいがん》線《せん》に立《た》ち、内陸《ないりく》の方《ほう》を向《む》いているのですが、アフ・アキビに立《た》つ7体《たい》のモアイは内陸《ないりく》にあり、海《うみ》の方《ほう》を向《む》いています。これは偶然《ぐうぜん》にそうなったのではなく、イースター島《とう》の先住民《せんじゅうみん》が生活《せいかつ》に天文学《てんもんがく》を利用《りよう》していたことを示《しる》していると考《かんが》えられています。7体《たい》のモアイは単《たん》に海《うみ》を眺《なが》めているのではなく、年《ねん》に2回《かい》ある春分《しゅんぶん》・秋分《しゅうぶん》に太陽《たいよう》の沈《しず》む場所《ばしょ》を眺《なが》めていることがわかったからです。イースター島《とう》の先住民《せんじゅうみん》はこうして今《いま》がどの季節《きせつ》なのかを知《し》ることができたと考《かんが》えられています。

ふしぎクイズ

1722年《ねん》4月《がつ》5日《か》、復活祭《ふっかつさい》の日曜日《にちようび》に発見《はっけん》されたことがイースター島《とう》の名前《なまえ》の由来《ゆらい》ですが(イースター=復活祭《ふっかつさい》)、現地語《げんちご》ではイースター島《とう》をラパ・ヌイと読《よ》んでいます。ラパ・ヌイとはどんな意味《いみ》でしょう?

2ページ前《まえ》のこたえ　全長《ぜんちょう》50kmの巨大矢印《きょだいやじるし》

イースター島《とう》に伝《つた》わる謎《なぞ》の文字《もじ》があるって本当《ほんとう》？

イースター島《とう》の先住民《せんじゅうみん》は文字《もじ》を持《も》っていた可能性《かのうせい》があります。それがロンゴロンゴと呼《よ》ばれる絵文字《えもじ》です。最初《さいしょ》は右《みぎ》から左《ひだり》へ、そして次《つぎ》の行《ぎょう》は左《ひだり》から右《みぎ》へと、交互《こうご》に記述《きじゅつ》していく複雑《ふくざつ》な形式《けいしき》を持《も》っています。この絵文字《えもじ》は板《いた》や石《いし》に書《か》かれ、過去多数存在《かこたすうそんざい》したようですが、キリスト教《きょう》の宣教師《せんきょうし》らが「悪魔《あくま》の文字《もじ》」であるとして破壊《はかい》したため、現在《げんざい》はわずか24枚《まい》しか存在《そんざい》しません。1862年《ねん》にペルーの奴隷船《どれいせん》により、島《しま》の長老《ちょうろう》やロンゴロンゴを解読《かいどく》できる人《ひと》が連《つ》れ去《さ》られてしまったことにより、現在《げんざい》、正確《せいかく》にこの文字《もじ》を読《よ》みとれる人《ひと》はだれもいなくなってしまいました。

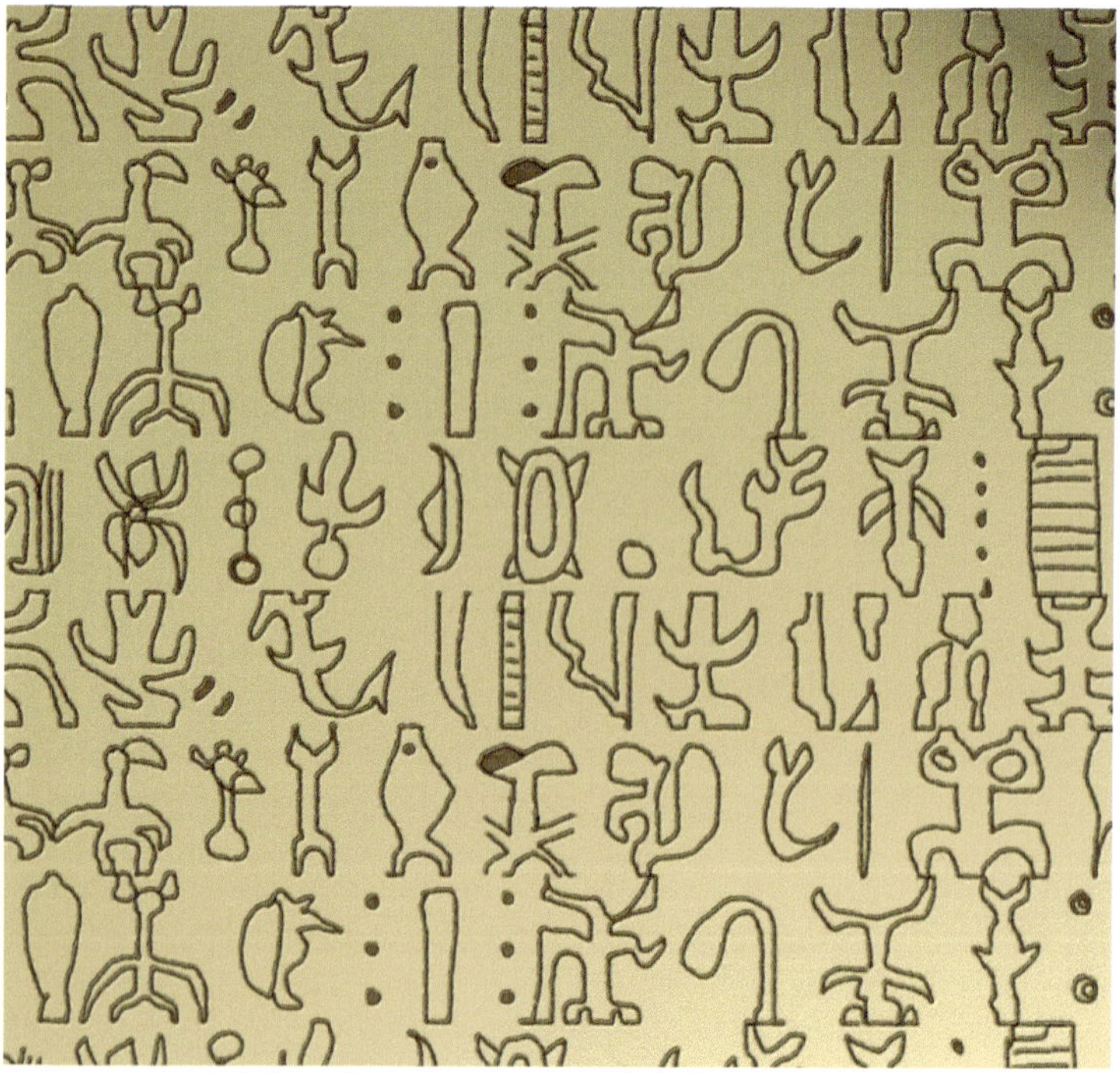

▲ロンゴロンゴ絵文字《えもじ》とは上《うえ》のイラストのような絵文字《えもじ》の1個《こ》1個《こ》を指《さ》します。人間《にんげん》や鳥《とり》、魚《さかな》、植物《しょくぶつ》などのほか幾何学模様《きかがくもよう》が描《えが》かれているように見《み》えます

これがナゾのこたえだ!

ロンゴロンゴと呼《よ》ばれる絵《え》文字《もじ》です。現在《げんざい》、その文字《もじ》を正確《せいかく》に読《よ》みとれる人《ひと》はだれもいません。

▲モアイの製造基地《せいぞうきち》ラノ・ララクに立《た》つモアイ像《ぞう》。約《やく》400体《たい》のモアイ像《ぞう》があちこちに見《み》られます

モアイの製造工場《せいぞうこうじょう》だったと考《かんが》えられているラノ・ララク山《さん》。ここでは山《やま》の壁《かべ》をイラストのように石《いし》の手《て》おので彫刻《ちょうこく》してからモアイを切《き》り出《だ》して運《はこ》びました。

データ②

ラノ・ララクから切《き》り出《だ》されたモアイは近《ちか》い場所《ばしょ》で数《すう》km、遠《とお》い場所《ばしょ》では20km以上《いじょう》も離《はな》れたところまで運《はこ》ばれました。イースター島《とう》はなだらかな土地《とち》でそれほどけわしい山《やま》や谷《たに》があるわけではありませんが、それにしても数十《すうじゅっ》tもあるモアイを運《はこ》ぶのは決《けっ》して楽《らく》な作業《さぎょう》ではなかったはずです。モアイを運《はこ》ぶ方法《ほうほう》はモアイを作《つく》る方法《ほうほう》と違《ちが》ってはっきりとしたことはわかっていません。

ふしぎクイズ

最初《さいしょ》のころはずんぐりむっくりの形《かたち》につくられていたモアイは時《とき》を経《へ》るにつれてスリムに巨大《きょだい》になっていきました。最後《さいご》につくられようとしていたモアイは高《たか》さ21mで重《おも》さは100tをこえるものだったと考《かんが》えられています。このモアイの名前《なまえ》は何《なん》というでしょう?

2ページ前《まえ》のこたえ　ラパ・ヌイ=大《おお》きな島《しま》

ポンペイの町《まち》

約《やく》1900年《ねん》もの前《まえ》に消滅《しょうめつ》した都市《とし》ポンペイ。現代人《げんだいじん》と変《か》わらない生活《せいかつ》をしていたのは本当《ほんとう》？

ポンペイは、イタリア南部《なんぶ》にある古《こ》代《だい》都市《とし》遺跡《いせき》。その始《はじ》まりは、紀元前《きげんぜん》600年頃《ねんごろ》だと伝《つた》えられています。紀《き》元前《げんぜん》1世紀《せいき》にローマ帝国《ていこく》が支配《しはい》し、その後《ご》裕福《ゆうふく》なローマ人《じん》たちの人気《にんき》リゾート地《ち》として、豊《ゆた》かに栄《さか》えました。人口《じんこう》は2万人《まんにん》に達《たっ》し、水道《すいどう》、舗装道路《ほそうどうろ》、商店《しょうてん》のほか、劇場《げきじょう》、円形闘技場《えんけいとうぎじょう》、公《こう》衆浴場《しゅうよくじょう》なども整備《せいび》されていたというから、現代《げんだい》の生活《せいかつ》とそれほど変《か》わらないですね。ところが、この豊《ゆた》かな都市《とし》に突然悲劇《とつぜんひげき》がおきます。西暦《せいれき》79年《ねん》8月《がつ》24日《か》、ベスビオ火山《かざん》の噴火《ふんか》によってあっというまに都市《とし》が破壊《はかい》されたのです。

噴火《ふんか》によって、高熱《こうねつ》の火山灰《かざんばい》などがポンペイのまちに降《ふ》り積《つ》もり、その後《ご》約《やく》1500年《ねん》もの間灰《あいだはい》の中《なか》に埋《う》もれていました。18世紀《せいき》に入《はい》り、考古学者《こうこがくしゃ》が埋《う》もれたポンペイの町《まち》を発見《はっけん》。逃《に》げ遅《おく》れた人《ひと》の死体《したい》や、当時《とうじ》の建物《たてもの》、町並《まちな》みが火山灰《かざんばい》に埋《う》もれていたために驚《おどろ》くほど良《よ》い状態《じょうたい》で残《のこ》っていたのです。約《やく》1900年前《ねんまえ》の町《まち》の様子《ようす》を、当時《とうじ》のまま知《し》ることができるのはスゴイですよね。

これがナゾのこたえだ!

演劇《えんげき》や音楽会《おんがくかい》を楽《たの》しんだり、公共《こうきょう》浴場《よくじょう》などフィットネスクラブのような施設《しせつ》もあったんだって。今《いま》とほとんど変《か》わらない生活《せいかつ》ですね。

▲ポンペイの古代都市遺跡《こだいとしいせき》

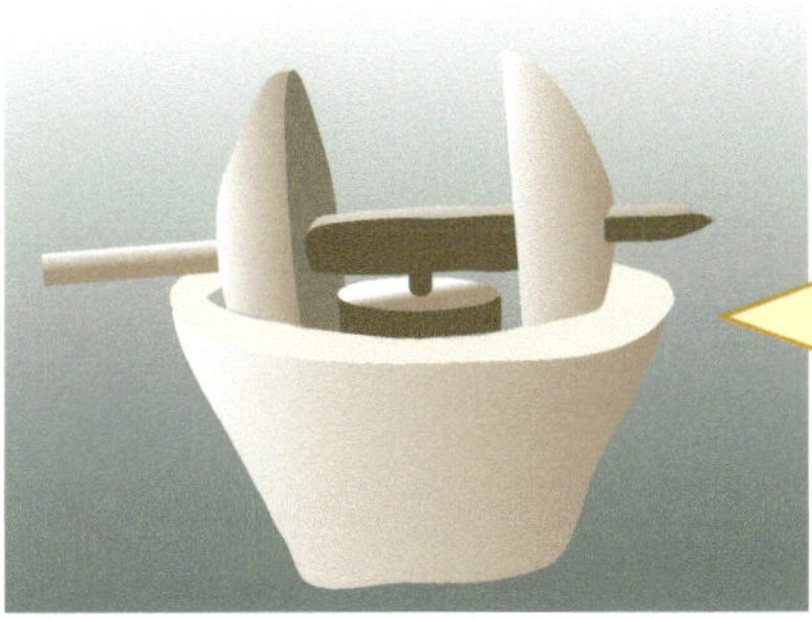

ポンペイから発見《はっけん》された石臼《いしうす》のイラスト。パンの原料《げんりょう》となる小麦《こむぎ》などを細《こま》かくくだくのに使用《しよう》されていたとされます。かなり大《おお》きいものなので、牛《うし》や馬《うま》などの家畜《かちく》がまわしていたといわれています。

データ ベスビオ火山《かざん》が噴火《ふんか》した時《とき》、ポンペイのとなりにあった町《まち》「ヘルクラネウム」（現《げん》エルコラーノ）も火山灰《かざんばい》に埋《う》もれてしまいました。この町《まち》は、1706年《ねん》に発見《はっけん》され、豪華《ごうか》な別荘《べっそう》や共同住宅《きょうどうじゅうたく》などが見《み》つかりました。

ふしぎクイズ

ポンペイの芸術性《げいじゅつせい》の高《たか》さは、スタンダール、マーク・トウェインなどの数多《かずおお》くの作家《さっか》も訪《おとず》れるほど。さて、『イタリア紀行《きこう》』でポンペイについて書《か》いたドイツの有名《ゆうめい》な作家《さっか》は誰《だれ》でしょう?

2ページ前《まえ》のこたえ　ピロピロ

ヒルフィギュア

イギリスのヒルフィギュアとは、どんなもの？　いつ誰《だれ》がなんのために作《つく》ったの？

作《つく》られた正確《せいかく》な年代《ねんだい》はわかっていませんが、特《とく》にイギリス南部《なんぶ》に多《おお》く見《み》られるヒルフィギュアの中《なか》で、最《もっと》も古《ふる》くに作《つく》られたと考《かんが》えられているのは、オックスフォードシャーのアフィントンの丘《おか》にある白馬《はくば》で、全長約《ぜんちょうやく》110ｍと大《おお》きなものです。草《くさ》を取《と》り除《のぞ》いて真《ま》っ白《しろ》いチョーク層《そう》を露出《ろしゅつ》させて作《つく》られたもので、約《やく》3000年前《ねんまえ》の青銅器《せいどうき》時代《だい》から存在《そんざい》すると考《かんが》えられています。誰《だれ》がなんのために作《つく》ったのかは今《いま》だ不明《ふめい》で、多《おお》くの言《い》い伝《つた》えが残《のこ》っています。イギリスにはほかにも多《おお》くのヒルフィギュアが見《み》られ、17世紀以降《せいきいこう》に作《つく》られたものが多《おお》いと考《かんが》えられています。

▲先史時代《せんしじだい》に作《つく》られた最古《さいこ》のヒルフィギュア「アフィントンの白馬《はくば》」

これがナゾのこたえだ!

丘《おか》に描《えが》かれた地上絵《ちじょうえ》で、先史時《せんしじ》代《だい》や18世紀《せいき》くらいに作《つく》られたものと考《かんが》えられています。

▲ヒルフィギュアの中《なか》でも白馬《はくば》を描《えが》いたものが多《おお》く見《み》られる

8〜11世紀《せいき》のサクソン時代後期《じだいこうき》に作《つく》られたと考《かんが》えられている「サーン・アッバスの巨人《きょじん》」。全長《ぜんちょう》約《やく》55mの巨人《きょじん》の地上絵《ちじょうえ》で、イギリス南西部《なんせいぶ》にあり、近《ちか》くにある村《むら》の名前《なまえ》からつけられました。

データ

ヒルフィギュアは定期的《ていきてき》な保守作業《ほしゅさぎょう》が必要《ひつよう》で、それができなければ風化《ふうか》や埋没《まいぼつ》する可能性《かのうせい》があります。地域《ちいき》のランドマークのような存在《そんざい》として、定期的《ていきてき》な手入《てい》れをしてきたと考《かんが》えられています。

ふしぎクイズ

世界各地《せかいかくち》で見《み》つかっている、突然穀物畑《とつぜんこくもつばたけ》に出現《しゅつげん》する幾何学模様《きかがくもよう》をなんと呼《よ》んでいるでしょうか?

2ページ前《まえ》のこたえ　ヨハン・ヴォルフガング・ゲーテ

クリスタル・スカル

古代《こだい》文明《ぶんめい》の遺物《いぶつ》ともいわれるクリスタル・スカルは、本当《ほんとう》に古代《こだい》に作《つく》られたものですか。

マヤ文明《ぶんめい》、アステカ文明《ぶんめい》、インカ帝国《ていこく》などの主《おも》に中南米《ちゅうなんべい》の考古遺物《こうこいぶつ》として考《かんが》えられたクリスタル・スカル。水晶《すいしょう》の産地《さんち》では工芸品《こうげいひん》などでドクロをかたどったものが見《み》られますが、時代《じだい》と完成度《かんせいど》を考《かんが》えた場合《ばあい》に不自然《ふしぜん》な精巧《せいこう》さがみられるクリスタル・スカルがあります。1927年《ねん》イギリス領《りょう》ホンジュラス（現中央《げんちゅうおう》アメリカ・ベリーズ）の古代《こだい》マヤ遺跡《いせき》から発見《はっけん》された「ヘッジス・スカル」がその代表的《だいひょうてき》なもので、近年《きんねん》の鑑定《かんてい》で近代《きんだい》技術《ぎじゅつ》による加工《かこう》されたあとが確認《かくにん》されています。世界中《せかいじゅう》に13個《こ》存在《そんざい》するといわれている古代《こだい》マヤ文明由来《ぶんめいゆらい》のクリスタル・スカル。人類《じんるい》が危機的状況《ききてきじょうきょう》になったとき、その13個《こ》が一堂《いちどう》に会《かい》するという伝説《でんせつ》もありますが、真偽《しんぎ》は定《さだ》かではありません。

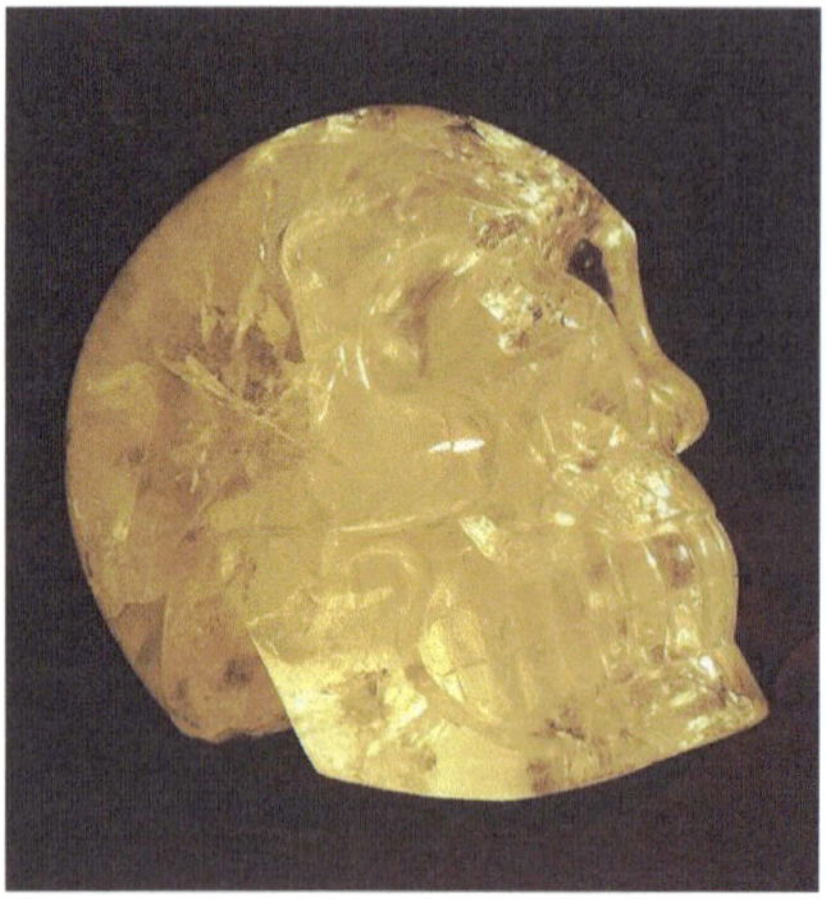

▲クリスタル・スカルは現在《げんざい》、10数種類《すうしゅるい》あるといわれている

これがナゾのこたえだ!

21世紀《せいき》の学術的《がくじゅつてき》な研究《けんきゅう》や検証《けんしょう》などで、19～20世紀《せいき》に作《つく》られたものが多《おお》いことが判明《はんめい》しています。

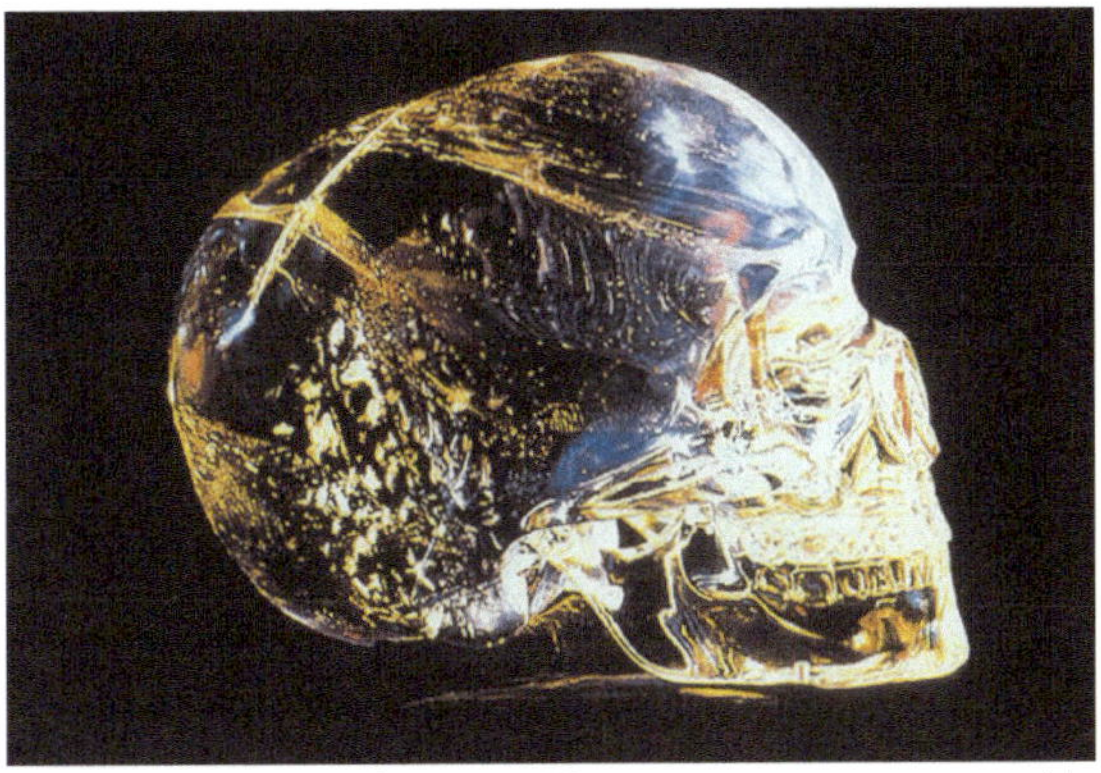

▲近代《きんだい》になってから作《つく》られたと考《かんが》えられるクリスタル・スカルが多《おお》い

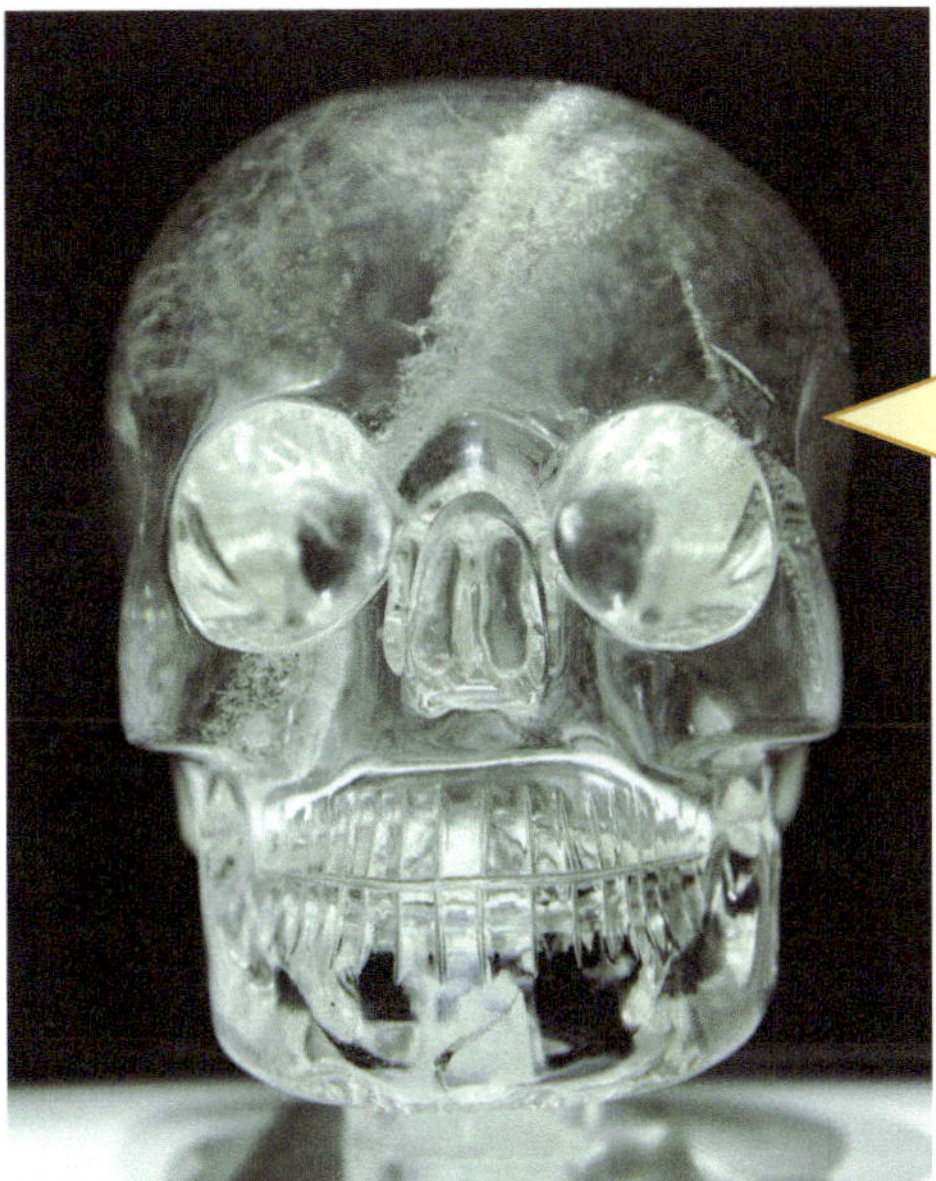

大英博物館所蔵《だいえいはくぶつかんしょぞう》のアステカ遺跡《いせき》で発見《はっけん》されたといわれる「ブリティッシュ・スカル」。近年《きんねん》になり円盤型《えんばんがた》の回転《かいてん》工具《こうぐ》で加工《かこう》されたあとが見《み》つかり、19世紀後半《せいきこうはん》に制作《せいさく》されたことが判明《はんめい》しました。

データ

古代《こだい》マヤ時代《じだい》の僧官《そうかん》からの伝承《でんしょう》という「マックス・スカル」、グアマテラで発見《はっけん》された「マヤ・スカル」、スミソニアン博物館所蔵《はくぶつかんしょぞう》の内部《ないぶ》が空洞《くうどう》の「カース・スカル」など10数種類《すうしゅるい》のクリスタル・スカルが存在《そんざい》しますが、古代《こだい》に作《つく》られたと証明《しょうめい》できたものはありません。

ふしぎクイズ

クリスタル・スカルをめぐって考古学者《こうこがくしゃ》の主人公《しゅじんこう》とソ連軍《れんぐん》が争奪戦《そうだつせん》を繰《く》り広《ひろ》げる映画《えいが》のタイトルは?

2ページ前《まえ》のこたえ　ミステリーサークル

コスタリカの石球《せっきゅう》

コスタリカの石球《せっきゅう》は非常《ひじょう》に精度《せいど》の高《たか》い球形状《きゅうけいじょう》。どうしてこんなものが作《つく》れたの？

コスタリカ共和国《きょうわこく》の密林《みつりん》で、1930年代《ねんだい》の初《はじ》めに大小《だいしょう》200個《こ》以上《いじょう》の石球《せっきゅう》が発見《はっけん》されました。直径《ちょっけい》2㎝から2・6mまで、さまざまな大《おお》きさの石球《せっきゅう》が見《み》つかりましたが、その精度《せいど》の高《たか》い球形状《きゅうけいじょう》から、どのように作《つく》られたものなのか謎《なぞ》に包《つつ》まれていました。海《うみ》の水流《すいりゅう》で研磨《けんま》されたという説《せつ》もありましたが、当時《とうじ》の技術《ぎじゅつ》でも加熱《かねつ》と冷却《れいきゃく》を交互《こうご》に繰《く》り返《かえ》し、表面《ひょうめん》を崩《くず》して作《つく》ることが可能《かのう》であることがわかり、人工的《じんこうてき》に作《つく》られたという説《せつ》が現《げん》在《ざい》では有力《ゆうりょく》になっています。ただし、どういう目的《もくてき》で作《つく》られたのかは現在《げんざい》もわかっていません。

▲国立博物館中庭《こくりつはくぶつかんなかにわ》に展示《てんじ》されている石球《せっきゅう》

▶コスタリカ共和国《きょうわこく》の南部《なんぶ》ディキス地方《ちほう》に分布《ぶんぷ》している石球《せっきゅう》

これがナゾのこたえだ！

加熱《かねつ》と冷却《れいきゃく》を交互《こうご》に繰《く》り返《かえ》し、表面《ひょうめん》を崩《くず》して作《つく》られたと考《かんが》えられています。

置《お》かれていた石球《せっきゅう》は星座《せいざ》の形《かたち》に並《なら》べられていたといわれていますが、石《いし》が移動《いどう》されてしまったことから当初《とうしょ》の配置《はいち》がよくわからなくなりました。

データ

コスタリカ・ディキスの石球《せっきゅう》を含《さき》む先《せん》コロンブス期《き》首長制集落群《しゅちょうせいしゅうらくぐん》は、2014年《ねん》にコスタリカ共和国《きょうわこく》の世界遺産《せかいいさん》に登録《とうろく》されました。先《せん》コロンブス期《き》の首長制社会制度《しゅちょうせいしゃかいせいど》をよく示《しめ》していると評価《ひょうか》されたようです。

ふしぎクイズ

かつて世界的《せかいてき》な大会《たいかい》でベスト8に進出《しんしゅつ》したことのある、コスタリカ共和国《きょうわこく》で圧倒的人気《あっとうてきにんき》のスポーツは？

2ページ前《まえ》のこたえ　インディ・ジョーンズ/クリスタル・スカルの王国《おうこく》

ギョベクリ・テペ

エジプト最古《さいこ》のピラミッドより、はるか昔《むかし》からある世界最古《せかいさいこ》の神殿《しんでん》とは？

ギョベクリ・テペはエジプトのピラミッドより約《やく》7000年《ねん》も古《ふる》い、約《やく》1万《まん》1600年前《ねんまえ》につくられたと考《かんが》えられる世界最古《せかいさいこ》の宗教施設《しゅうきょうしせつ》です。これまで文明《ぶんめい》の誕生《たんじょう》は、農耕《のうこう》が始《はじ》まりその後《ご》に組織的《そしきてき》な宗教《しゅうきょう》が生《う》まれたと考《かんが》えられてきましたが、ギョベクリ・テペは狩猟時代《しゅりょうじだい》に神殿《しんでん》がつくられているので、農耕以前《のうこういぜん》に宗教《しゅうきょう》があったと考《かんが》えられます。発掘調査《はっくつちょうさ》は現在《げんざい》も続《つづ》けられ、神殿《しんでん》でごちそうがだされたと考《かんが》えられる野生《やせい》のウシやガゼルなどの遺物《いぶつ》も見《み》つかり、注目《ちゅうもく》されています。

▲チグリス川《がわ》とユーフラテス川《がわ》にはさまれたメソポタミア地方北部《ちほうほくぶ》で発掘《はっくつ》された遺跡《いせき》

これがナゾのこたえだ!

現在《げんざい》のトルコ南東部《なんとうぶ》、シャンルウルファ郊外《こうがい》で発掘《はっくつ》された神殿《しんでん》は、ピラミッドよりはるかに古《ふる》い先土器新石器時代《せんどきしんせっきじだい》に築《きず》かれた遺跡《いせき》です。

▶ギョベクリ・テペとは「太鼓腹《たいこばら》の丘《おか》」という意味《いみ》

遺跡《いせき》の中《なか》に多《おお》く見《み》られるのがT字型《じがた》の石柱《せきちゅう》で、クモ、サソリ、ヘビ、イノシシ、キツネなどの動物《どうぶつ》や、腰巻《こしま》き布《ぬの》、腕《うで》、ベルトなどの人《ひと》を象徴《しょうちょう》していると考《かんが》えられるものが掘《ほ》られています。

データ

世界遺産《せかいいさん》にも登録《とうろく》されたギョベクリ・テペの発掘品《はっくつひん》を収蔵《しゅうぞう》するトルコ最大規模《さいだいきぼ》の博物館《はくぶつかん》「シャンルウルファ考古学博物館《こうこがくはくぶつかん》」が2015年《ねん》にオープンしました。近郊《きんこう》から発掘《はっくつ》された貴重《きちょう》な文化財《ぶんかざい》も含《ふく》め見《み》ることができます。

ふしぎクイズ

日本《にほん》との時差《じさ》は約《やく》6時間《じかん》、人口約《じんこうやく》8300万人《まんにん》の国《くに》、トルコ共和国《きょうわこく》の首都《しゅと》は?

2ページ前《まえ》のこたえ　サッカー

大噴火《だいふんか》で埋《う》もれた日本《にほん》の町々《まちまち》

日本《にほん》にもポンペイのように噴火《ふんか》によって埋《う》もれていた遺跡《いせき》ってあるのでしょうか？

群馬県子持村《ぐんまけんこもちむら》・黒井峯遺跡《くろいみねいせき》が発見《はっけん》されたのは、1982年《ねん》。6世紀《せいき》に起《お》きた榛名山《はるなさん》の大噴火《だいふんか》で2mもの軽石《かるいし》に埋《う》もれていた竪穴住居《たてあなじゅうきょ》や平地式住居《へいちしきじゅうきょ》の跡《あと》などが約《やく》1500年《ねん》ぶりに発掘《はっくつ》されました。

最近《さいきん》では2000年《ねん》の北海道《ほっかいどう》有《う》珠《す》山《ざん》の噴火《ふんか》で埋《う》もれた、洞爺湖《とうやこ》近《ちか》くの西山火口周辺《にしざんかこうしゅうへん》の街《まち》が名所《めいしょ》になっています。また、鹿児島《かごしま》には、桜島《さくらじま》の1914年《ねん》の大噴火《だいふんか》によって埋没《まいぼつ》した、鳥居《とりい》の上《うえ》の部分《ぶぶん》だけが残《のこ》された場所《ばしょ》があります。

▲桜島《さくらじま》の大噴火《だいふんか》（1914年《ねん》・大正《たいしょう》3年《ねん》）で高《たか》さ3mもあった腹五社神社《ふくごしゃじんじゃ》（黒神神社《くろかみじんじゃ》）の鳥居《とりい》の笠木《かさぎ》（上《うえ》の部分《ぶぶん》）だけを残《のこ》して埋没《まいぼつ》

これがナゾのこたえだ！

全国各地《ぜんこくかくち》にあります。群馬県《ぐんまけん》では1500年前《ねんまえ》の村《むら》が見《み》つかっています。

自《し》然《ぜん》の不《ふ》思《し》議《ぎ》

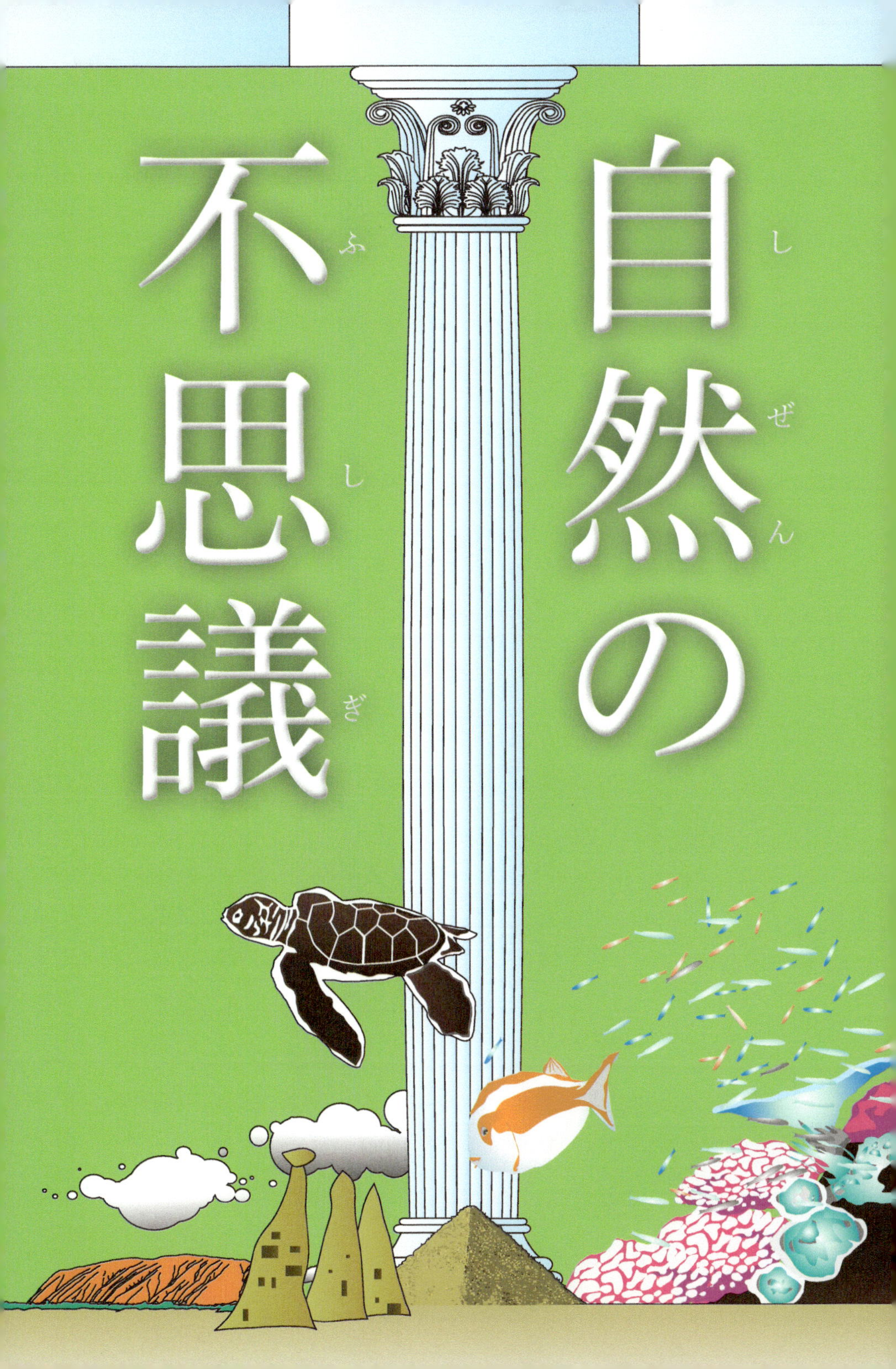

カッパドキア

敵《てき》から身《み》をかくすためにつくられた地下都市《ちかとし》。もっと昔《むかし》は地底人《ちていじん》の基地《きち》だったかも!?

トルコのアナトリア高原《こうげん》の東南部《とうなんぶ》にあり、約《やく》100㎞にわたって続《つづ》く無数《むすう》の奇岩《きがん》が有名《ゆうめい》。火山《かざん》の爆発《ばくはつ》でつくられた凝灰岩《ぎょうかいがん》が浸食《しんしょく》され、キノコや煙突《えんとつ》のような変《か》わった形《かたち》の岩《いわ》がたくさんある不思議《ふしぎ》な世界《せかい》が広《ひろ》がります。

奇岩《きがん》のほかに広大《こうだい》な地下都市《ちかとし》があったことでも知《し》られているカッパドキア。ローマ帝国《ていこく》から追《お》われたキリスト教徒《きょうと》がつくったといわれており、地下《ちか》の教会《きょうかい》にある色鮮《いろあざ》やかなフレスコ画《が》の聖画《せいが》は美術的《びじゅつてき》にも注目《ちゅうもく》されています。

▲自然《しぜん》にできた形《かたち》とは思《おも》えないほど不思議《ふしぎ》だね

これがナゾのこたえだ!

カッパドキアの地《ち》下《か》都《と》市《し》は、新《しん》石《せっ》器《き》時《じ》代《だい》から人間《にんげん》が暮《く》らしていたという説《せつ》もあります。

▲中心地《ちゅうしんち》ギョレメ。トルコ語《ご》で「みてはいけないもの」という意味《いみ》

データ ローマ帝国《ていこく》から追《お》われたキリスト教徒《きょうと》は、この地《ち》に地下都市《ちかとし》をつくって住《す》んでいました。ワイン製造所《せいぞうじょ》、食堂《しょくどう》、寝室《しんしつ》、教会《きょうかい》などが地下《ちか》につくられ、ひっそりと生活《せいかつ》していたのです。1965年《ねん》に発見《はっけん》された地下都市《ちかとし》は、地下《ちか》8階《かい》、深《ふか》さ65mの巨大都市《きょだいとし》でした。敵《てき》がおそってきた時《とき》のために、大《おお》きな石《いし》を転《ころ》がして通路《つうろ》をふさぐ仕掛《しか》けもあったようです。

ふしぎクイズ

カッパドキアにはたくさん奇岩《きがん》がありますが、中《なか》にはあまりにもユニークな形《かたち》のため、あだながついているものもあります。さて、さばくにいる動物《どうぶつ》にそっくりの形《かたち》の岩《いわ》がありますが、なんの動物《どうぶつ》でしょうか?

4ページ前《まえ》のこたえ　アンカラ

グランドキャニオン

さまざまな色《いろ》に変《か》わる光景《こうけい》は自然《しぜん》のアート！どこまでも続《つづ》く巨大《きょだい》な峡谷《きょうこく》はこの世《よ》の果《は》て？

アメリカ合衆国南西部《がっしゅうこくなんせいぶ》、アリゾナ州北西部《しゅうほくせいぶ》にあり、全長《ぜんちょう》４４６㎞、幅《はば》６～29㎞、最深《さいしん》１８００ｍもの世界《せかい》最大《さいだい》の峡谷《きょうこく》です。グランドキャニオンは、４０００万年《まんねん》ほど前《まえ》から現在《げんざい》までコロラド川《がわ》が浸食《しんしょく》し続《つづ》けたのと、さらにコロラド高原《こうげん》の隆起運動《りゅうきうんどう》が原因《げんいん》でできたといわれています。

１５４０年《ねん》2月《がつ》、スペインの探検家《たんけんか》フランシスコ・バスケス・デ・コロナドの一行《いっこう》が、最初《さいしょ》にグランドキャニオンを発見《はっけん》。その後《ご》、約《やく》３００年以上《ねんいじょう》も経《た》ってアメリカの地質学者《ちしつがくしゃ》ジョン・ウェズリー・パウエル一行《いっこう》が測量《そくりょう》を行《おこな》いました。

グランドキャニオンは国立公園《こくりつこうえん》となっており、グレンキャニオン国立《こくりつ》レクリエーション地域《ちいき》からミード湖国立《ここくりつ》レクリエーション地域《ちいき》までをグランドキャニオンと呼《よ》びます。峡谷《きょうこく》は、ノースリム（北壁《ほくへき》）とサウスリム（南壁《なんぺき》）に分《わ》かれ、花崗岩《かこうがん》、砂岩《さがん》、石灰岩《せっかいがん》などが、太陽《たいよう》の光《ひかり》を浴《あ》びることによってさまざまな色《いろ》に変化《へんか》する様子《ようす》はとても美《うつく》しく、多《おお》くの観光客《かんこうきゃく》を惹《ひ》きつけています。

▲夕方《ゆうがた》には赤《あか》と茶《ちゃ》の影《かげ》がグランドキャニオンを彩《いろど》る

これがナゾのこたえだ!

グランドキャニオンは、長《なが》い年月《ねんげつ》をかけて川《かわ》が浸食《しんしょく》した地形《ちけい》。日《ひ》の光《ひかり》でいろいろな色《いろ》に変化《へんか》します。

グランドキャニオン内《ない》には、現在《げんざい》のアメリカ先住民族《せんじゅうみんぞく》のプエブロの祖先《そせん》にあたるアナサジ族《ぞく》の住居遺跡《じゅうきょいせき》があり、農耕文化《のうこうぶんか》のほかに陶器《とうき》づくりも発展《はってん》しました。

データ 総面積《そうめんせき》が4927km² グランドキャニオン国立公園《こくりつこうえん》には、1500種以上《しゅいじょう》の植物《しょくぶつ》、355種《しゅ》の鳥類《ちょうるい》、88種《しゅ》のほ乳類《にゅうるい》、47種《しゅ》のはちゅう類《るい》、9種《しゅ》の両生類《りょうせいるい》、17種《しゅ》の魚類《ぎょるい》が生息《せいそく》しています。

ふしぎクイズ

グランドキャニオンは、いろいろな時代《じだい》の地層《ちそう》が見《み》られ、古《ふる》いのは数億年前《すうおくねんまえ》のものもあります。数億年前《すうおくねんまえ》、グランドキャニオンはどんな様子《ようす》だったのでしょう?

2ページ前《まえ》のこたえ　らくだ

イエローストーン

約《やく》50ｍも吹《ふ》き上《あ》げる温泉《おんせん》の噴水《ふんすい》。地球《ちきゅう》がかんしゃくを起《お》こしているの？

アメリカ合衆国《がっしゅうこく》ワイオミング州北西《しゅうほくせい》部《ぶ》、モンタナ州《しゅう》、アイダホ州《しゅう》にまたがり、ロッキー山脈中部《さんみゃくちゅうぶ》にある国立公園《こくりつこうえん》。標高《ひょうこう》1000～2400ｍ前後《ぜんご》、面積《めんせき》は約《やく》8987㎢もの広大《こうだい》な高原《こうげん》で、豊富《ほうふ》にわきでている間欠泉《かんけつせん》や温泉《おんせん》が知《し》られています。

特《とく》に、オールドフェイスフル間《かん》欠泉《けっせん》が有名《ゆうめい》で、ほぼ一定間隔《いっていかんかく》で3・8～4・5万《まん》ℓの熱水《ねっすい》を約《やく》40ｍの高《たか》さまで吹《ふ》きあげるというからオドロキですね。マンモスホットスプリングスなど数多《かずおお》くの間欠泉《かんけつせん》と温泉《おんせん》があります。

▲硫黄《いおう》が積《つ》もって高《たか》さ91ｍのテラスになったマンモスホットスプリングス

▲ほぼ規則的《きそくてき》に温泉《おんせん》を吹《ふ》きあげるオールドフェイスフル間欠泉《かんけつせん》

これがナゾのこたえだ!

間欠泉《かんけつせん》は、地下水《ちかすい》が熱《あつ》い水蒸気《すいじょうき》に変《か》わることによって吹《ふ》き出《だ》す温泉《おんせん》。地球《ちきゅう》が怒《おこ》っているわけじゃないよ。

間欠泉《かんけつせん》が吹《ふ》き出《だ》すしくみ

地下《ちか》に地下水《ちかすい》がたまる空間《くうかん》があり、地《ち》下水《かすい》の温度《おんど》が沸騰《ふっとう》すると、急《きゅう》に圧力《あつりょく》があがってお湯《ゆ》を吹《ふ》きあげます。温泉《おんせん》も間欠泉《かんけつせん》も地震《じしん》による地殻変動《ちかくへんどう》などで、消滅《しょうめつ》することもあります。

データ　公園内《こうえんない》には、タワー滝《たき》(40m)、ゴールデンゲートキャニオン、黒色《こくしょく》ガラスの層《そう》からなる崖《がけ》オブシディアンクリフ(50m)などがあり、観光名所《かんこうめいしょ》として有名《ゆうめい》です。

ふしぎクイズ

イエローストーン国立公園《こくりつこうえん》には、野生動物《やせいどうぶつ》がたくさんいます。全滅《ぜんめつ》したといわれていたオオカミも、新《あら》たに住《す》みついているのだそう。ところで、この公園《こうえん》は「世界《せかい》ではじめての○○○○」としても有名《ゆうめい》。さて、なんでしょう?

2ページ前《まえ》のこたえ　海《うみ》の底《そこ》

グレートバリアリーフ

日本《にほん》と同《おな》じくらいの大《おお》きさのサンゴ礁《しょう》。一面《いちめん》に広《ひろ》がるブルーの世界《せかい》は、生《い》き物《もの》の楽園《らくえん》!?

グレートバリアリーフとは、オーストラリア大陸《たいりく》の北東《ほくとう》にある世界《せかい》でも最大《さいだい》のサンゴ礁《しょう》のこと。その大《おお》きさは、南北《なんぼく》に２０００㎞も広《ひろ》がっており、日本列島《にほんれっとう》の北海道《ほっかいどう》から九州《きゅうしゅう》までがすっぽりと入《はい》ってしまうほど。

グレートバリアリーフには、約《やく》４００種《しゅ》ものサンゴ、約《やく》１５００種《しゅ》の魚《さかな》、約《やく》４０００種《しゅ》の貝《かい》、約《やく》２４０種《しゅ》の鳥《とり》が生息《せいそく》しており、まるで楽園《らくえん》のように幸《しあわ》せに暮《く》らしています。海《うみ》の中《なか》もおとぎ話《ばなし》のような美《うつく》しい世界《せかい》が広《ひろ》がり、多《おお》くの観光客《かんこうきゃく》の目《め》を楽《たの》しませています。

▲コバルトブルーの美《うつく》しい世界《せかい》が広《ひろ》がる世界最大《せかいさいだい》のサンゴ礁《しょう》

これがナゾのこたえだ!

約《やく》400種《しゅ》ものサンゴがつくるサンゴ礁《しょう》は、透明《とうめい》な美《うつく》しい海《うみ》にしか生息《せいそく》しません。だからサンゴ礁《しょう》がたくさんあるほど、すばらしい環境《かんきょう》ということなんだね。

▲サンゴ礁《しょう》の周《まわ》りにはたくさんの魚《さかな》たちが幸《しあわ》せに生活《せいかつ》しているよ

サンゴって植物《しょくぶつ》じゃないの?

サンゴは植物《しょくぶつ》とかん違《ちが》いしている人《ひと》はいませんか? 実《じつ》は、石灰質《せっかいしつ》というかたい骨格《こっかく》をもつ動物《どうぶつ》なんです。無脊《むせき》椎動物《ついどうぶつ》のクラゲやイソギンチャクと同《おな》じ種類《しゅるい》なんだよ。

データ

グレートバリアリーフには、珍《めずら》しい魚《さかな》や動物《どうぶつ》が生息《せいそく》しています。南部《なんぶ》にあるヘロン島《とう》では、絶滅《ぜつめつ》の危機《きき》にあるアオウミガメが産卵《さんらん》のために陸《りく》にあがってくる様子《ようす》を間近《まぢか》で見《み》られます。

ふしぎクイズ

世界中《せかいじゅう》で大《だい》ヒットしたディズニー映画《えいが》「ファインディング・ニモ」。この舞台《ぶたい》となったのが、グレートバリアリーフです。この映画《えいが》の主人公《しゅじんこう》マーリン&ニモ親子《おやこ》の魚《さかな》の種類《しゅるい》はなんでしょう?

2ページ前《まえ》のこたえ　国立公園《こくりつこうえん》

エアーズ・ロック=ウルル

これは地球《ちきゅう》の出《で》べそ!? この不思議《ふしぎ》な岩山《いわやま》はどのようにして現《あらわ》れたのでしょうか?

エアーズ・ロックはオーストラリア大陸《たいりく》のほぼ中央《ちゅうおう》、ウルル・カタジュター国立公園《こくりつこうえん》のなかにあり、先住民《せんじゅうみん》アボリジニがウルルと呼《よ》ぶ聖地《せいち》になっています。

6億年前《おくねんまえ》、ここには大山脈《だいさんみゃく》があって消滅《しょうめつ》したとされています。その6億年《おくねん》の間《あいだ》に地殻変動《ちかくへんどう》や浸食《しんしょく》を受《う》け、硬《かた》かった部分《ぶぶん》だけが残《のこ》り、現在《げんざい》の岩山《いわやま》になったようです。

ここは「大地《だいち》のヘソ」と呼《よ》ばれることもあり、聖地《せいち》として地球《ちきゅう》の強《つよ》いエネルギーを発《はっ》しているともいわれています。

▲エアーズ・ロック=ウルルの大《おお》きさは高《たか》さ約《やく》348m(標高《ひょうこう》863m)、周囲《しゅうい》は約《やく》10kmとなっています

世界《せかい》最大級《さいだいきゅう》の一枚岩《いちまいいわ》で、およそ6億年《おくねん》に及《およ》ぶ浸食《しんしょく》によってできた岩山《いわやま》です。

▲岩山《いわやま》は、朝方《あさがた》と夕方《ゆうがた》に刻々《こくこく》と色《いろ》を変化《へんか》させ、美《うつく》しい赤色《あかいろ》になります。これは太陽光線《たいようこうせん》の赤色《あかいろ》だけが遠《とお》くまで届《とど》く性質《せいしつ》に関係《かんけい》しています

ここはウルルから約《やく》30㎞離《はな》れたカタジュターで、大小《だいしょう》36個《こ》の岩《いわ》があるオルガ岩群《がんぐん》です。ここにはオルガ渓谷《けいこく》と風《かぜ》の谷《たに》があり、「風《かぜ》の谷《たに》」はアニメ「風《かぜ》の谷《たに》のナウシカ」のモデルになったところです。

データ

一般的《いっぱんてき》には〝エアーズ・ロック〟という呼《よ》び名《な》になっていますが、先住民《せんじゅうみん》のアボリジニが「ウルル」と呼《よ》ぶ神秘《しんぴ》の岩山《いわやま》です。山《やま》のふもとにはたくさんの洞窟《どうくつ》があり、岩壁《がんぺき》にはアボリジニアートと呼《よ》ばれる画《え》が描《えが》かれています。

ふしぎクイズ

ウルル・カタジュター国立公園《こくりつこうえん》は、アナング族《ぞく》が所有《しょゆう》する大地《だいち》です。1986年《ねん》にアナング族《ぞく》に返還《へんかん》されたため、オーストラリア自然保護協会《しぜんほごきょうかい》がお金《かね》を出《だ》して借《か》りています。このアナング族《ぞく》は先住民《せんじゅうみん》○○○○○の種族《しゅぞく》のひとつです。先住民《せんじゅうみん》の名称《めいしょう》は?

2ページ前《まえ》のこたえ　クマノミ

北極圏《ほっきょくけん》・南極圏《なんきょくけん》

オーロラってどうしてできるのかな？
南極《なんきょく》でも北極《ほっきょく》でも見《み》ることができるの？

光《ひかり》の芸術《げいじゅつ》ともいえる神秘的《しんぴてき》なオーロラ。肉眼《にくがん》で確認《かくにん》できるオーロラの基本的《きほんてき》な色《いろ》は、赤《あか》、緑《みどり》、ピンクまたは水色《みずいろ》です。

オーロラは北極周辺《ほっきょくしゅうへん》・南極周辺《なんきょくしゅうへん》の大気中《たいきちゅう》に「リング状《じょう》」になって発生《はっせい》します。このリング状《じょう》のものをオーロラ帯《たい》＝オーロラオーバルといいます。このオーロラオーバルは場所《ばしょ》や形《かたち》を常《つね》に変《か》えています。

オーロラは大気中《たいきちゅう》の酸素原子《さんそげんし》や窒素《ちっそ》分子《ぶんし》などの物質《ぶっしつ》に、太陽《たいよう》からやってくる電子《でんし》が高速《こうそく》で衝突《しょうとつ》することで、光《ひかり》を発《はっ》しています。

▲夜空《よぞら》に映《うつ》るオーロラ。「電子《でんし》」は地球《ちきゅう》に届《とど》く太陽風《たいようふう》といわれるエネルギーの中《なか》にあり、これに太陽《たいよう》の磁場《じば》と地球《ちきゅう》の磁場《じば》が関係《かんけい》してオーロラオーバルが生《う》まれるようです

オーロラオーバルのオーバルとはだ円《えん》という意味《いみ》です

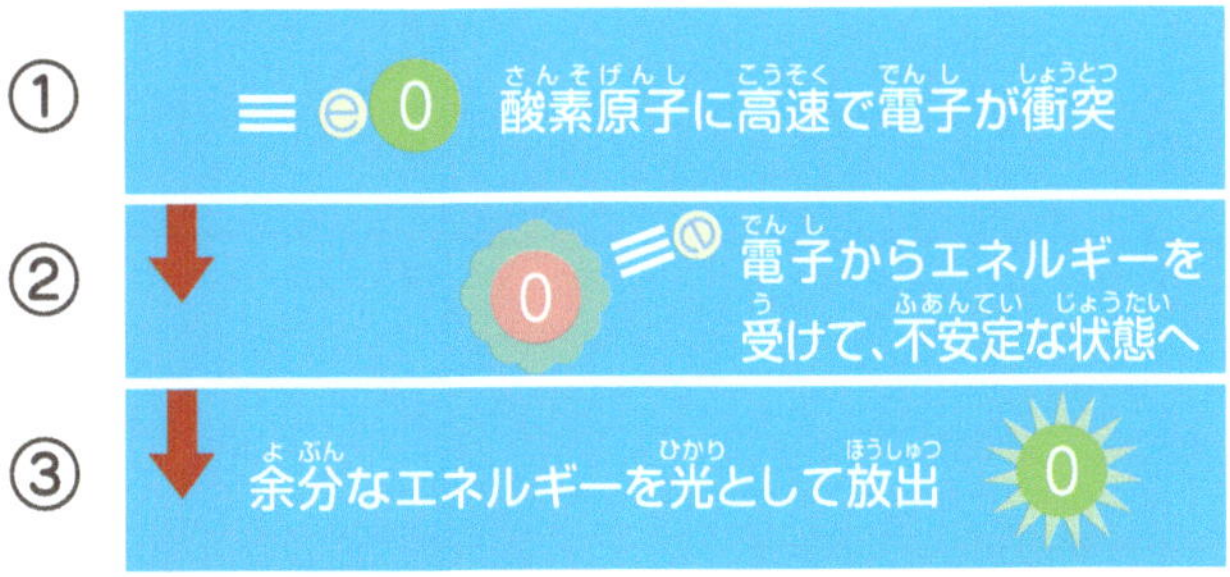

これがナゾのこたえだ!

オーロラは大気中《たいきちゅう》の物質《ぶっしつ》が発光《はっこう》する現象《げんしょう》で、地球《ちきゅう》の北極周辺《ほっきょくしゅうへん》や南極《なんきょく》周辺《しゅうへん》のオーロラ帯《たい》で見《み》られます。

南極《なんきょく》は南極点《なんきょくてん》を中心《ちゅうしん》とした大陸《たいりく》です。日本《にほん》の南極観測《なんきょくかんそく》は1956年《ねん》に第《だい》1次《じ》南極観測《なんきょくかんそく》隊《たい》が東《ひがし》オングル島《とう》に到着《とうちゃく》することでスタート、翌年《よくねん》、昭和基地《しょうわきち》と名《な》づけられました。2018年時点《ねんじてん》では第《だい》59次《じ》観測隊《かんそくたい》及《およ》び越冬隊《えっとうたい》が活躍《かつやく》しています。現在《げんざい》、昭和基地《しょうわきち》以外《いがい》の基地《きち》や観測拠点《かんそくきょてん》もあります。

データ① ほとんど雪《ゆき》と氷《こおり》の南極大陸《なんきょくたいりく》。わずかな動植物《どうしょくぶつ》を除《のぞ》いて、生物《せいぶつ》はほとんど生息《せいそく》していません。南極条例《なんきょくじょうれい》により、どこの国《くに》にも属《ぞく》さない土地《とち》となっています。南極《なんきょく》の基地《きち》では、地球環境《ちきゅうかんきょう》や天体観測《てんたいかんそく》などの科学観測《かがくかんそく》が行《おこな》われています。

ふしぎクイズ

オーロラは上空《じょうくう》どのくらいの高《たか》さに現《あらわ》れるのでしょうか?かなり高《たか》いところに発生《はっせい》します。オゾン層《そう》が地上《ちじょう》から約《やく》20km~50kmにありますが、オーロラは約《やく》100km~○○○kmあたりに現《あらわ》れます。○○○に入《はい》る数字《すうじ》は?

2ページ前《まえ》のこたえ　アボリジニ

北極《ほっきょく》と南極《なんきょく》を結《むす》ぶ〝地軸《ちじく》〟。地軸《ちじく》の役割《やくわり》は何《なん》だろう？

昼《ひる》と夜《よる》は、地軸《ちじく》を中心《ちゅうしん》に地球《ちきゅう》が一日《いちにち》一回《いっかい》みずから回《まわ》ることで起《お》こります。決《けっ》して太陽《たいよう》が動《うご》いているわけではありません。

また、地軸《ちじく》は地球《ちきゅう》の公転面《こうてんめん》に立《た》てた垂直《すいちょく》な軸《じく》に対《たい》して約《やく》23度《ど》傾《かたむ》いています。この傾《かたむ》きによって、夏《なつ》と冬《ふゆ》が生《う》まれています。地軸《ちじく》の北極側《ほっきょくがわ》の線《せん》が太陽《たいよう》に対《たい》し内側《うちがわ》を向《む》いているときが、北半球《きたはんきゅう》の夏《なつ》で、冬《ふゆ》はその地軸《ちじく》が外側《そとがわ》に向《む》いています。

もし地軸《ちじく》が傾《かたむ》いていなかったら、南中高度《なんちゅうこうど》が一年中同《いちねんじゅうおな》じとなり、季節《きせつ》の変化《へんか》はなくなります。

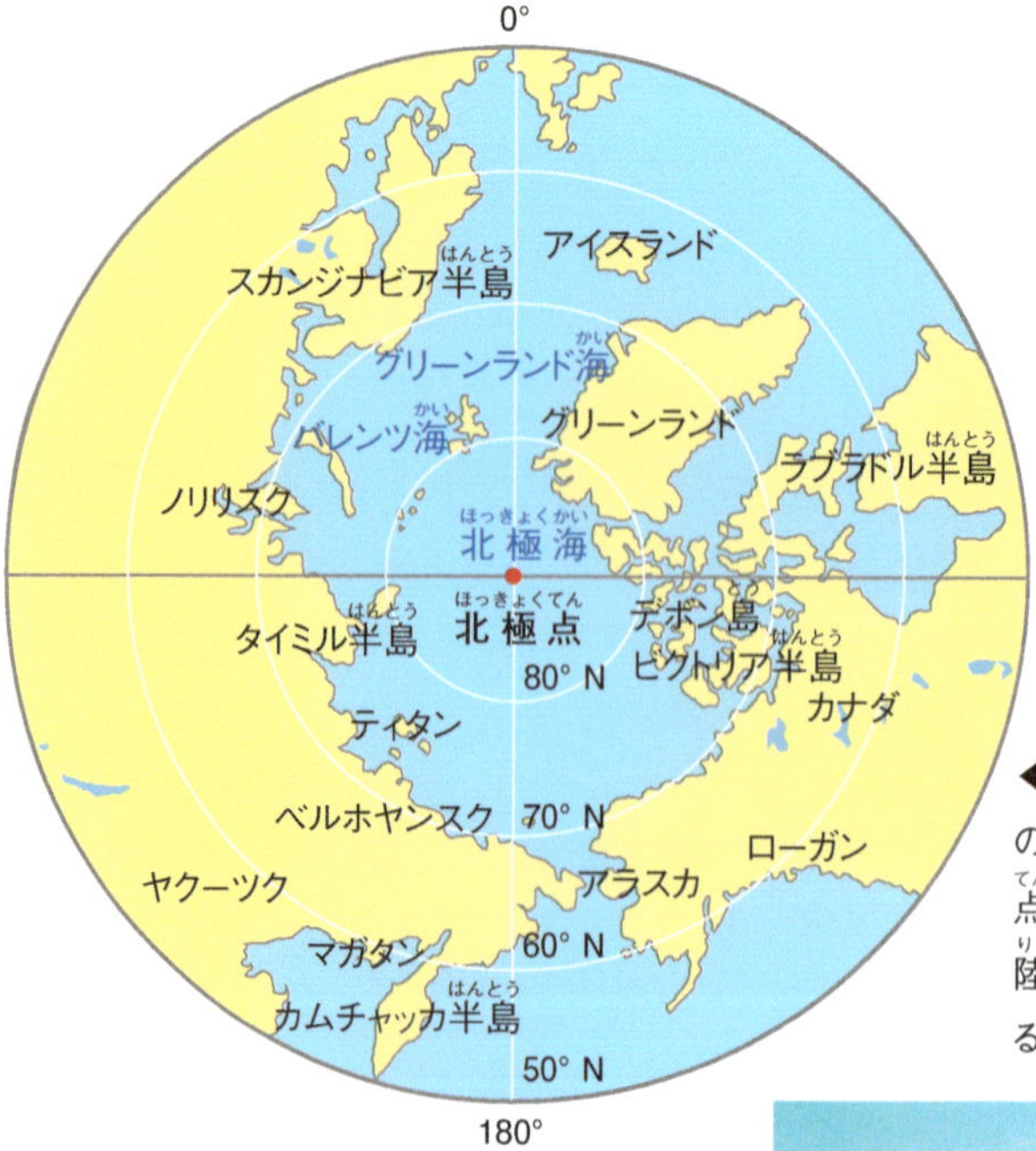

◀北極点《ほっきょくてん》は地球自転軸《ちきゅうじてんじく》の北端《ほくたん》、北緯《ほくい》90度《ど》の地《ち》点《てん》になりますが、ここには陸地《りくち》がなく、海氷《かいひょう》の上《うえ》にあるということになります

▶写真《しゃしん》は北極《ほっきょく》の大気観測《たいきかんそく》を行《おこな》う、航空機《こうくうき》。北極域《ほっきょくいき》は地球温暖化《ちきゅうおんだんか》やオゾン層《そう》の破壊《はかい》など、大気《たいき》の環境変化《かんきょうへんか》が激《はげ》しく現《あらわ》れます

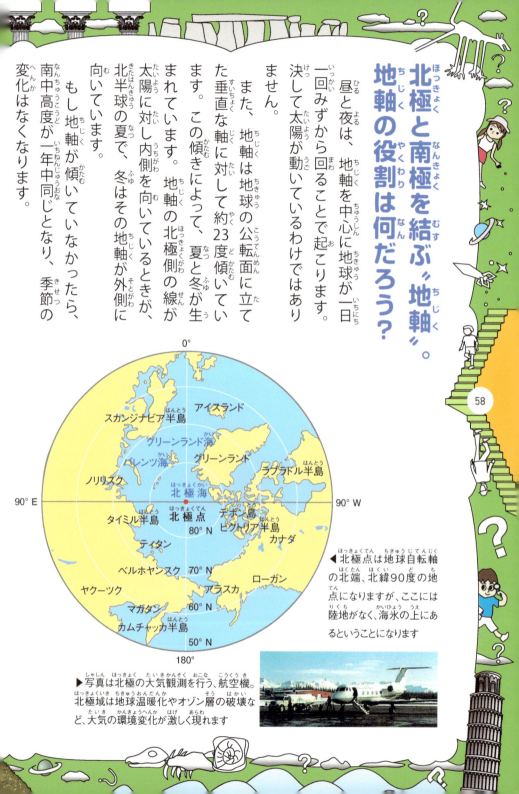

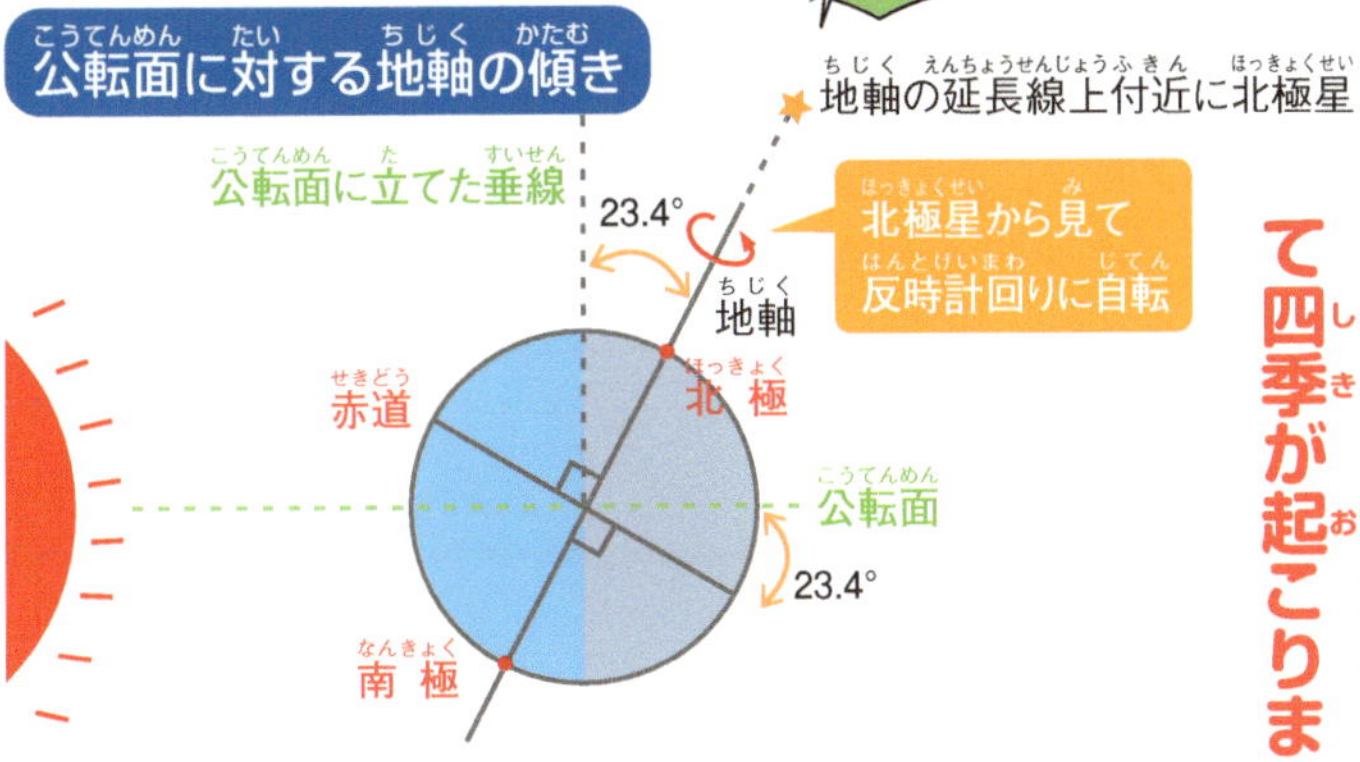

これがナゾのこたえだ！

地球《ちきゅう》が自転《じてん》するときの軸《じく》です。自転《じてん》によって昼《ひる》と夜《よる》があり、その軸《じく》の傾《かたむ》きによって四季《しき》が起《お》こります。

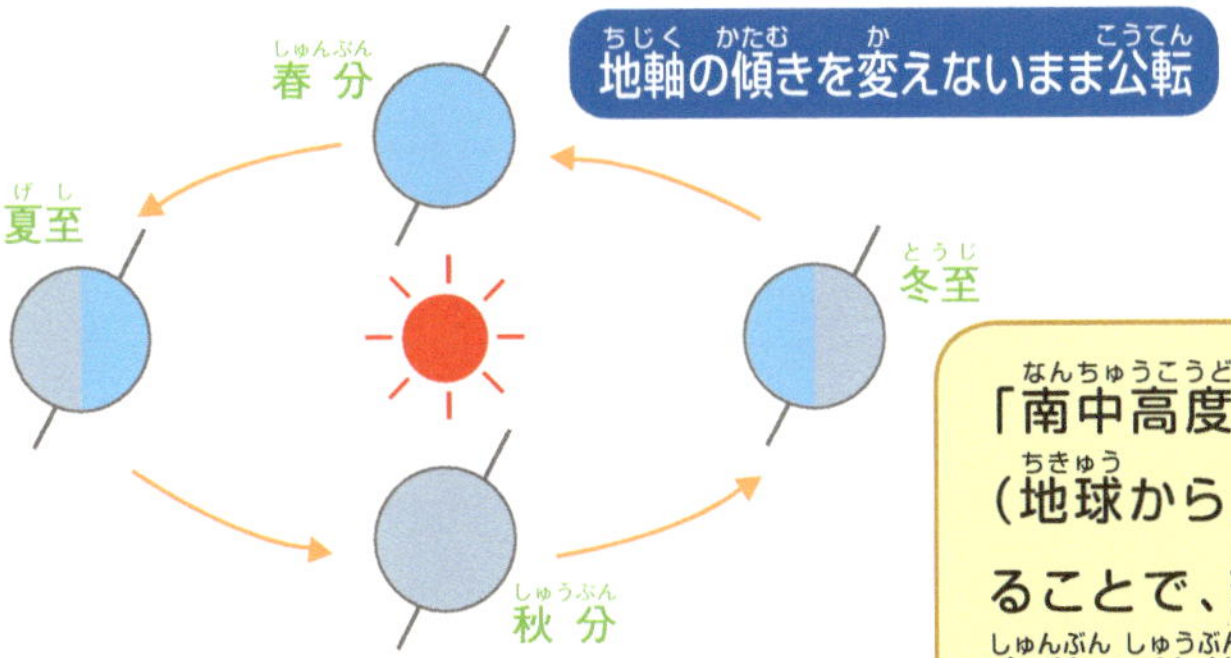

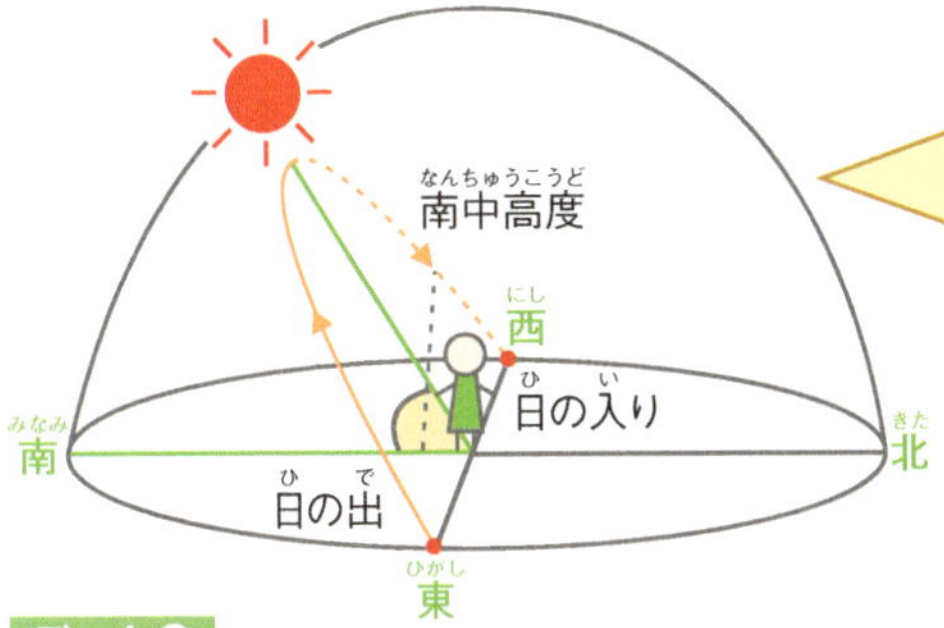

「南中高度《なんちゅうこうど》」は太陽《たいよう》の通《とお》り道《みち》（地球《ちきゅう》から見《み》た場合《ばあい》）が変《か》わることで、変化《へんか》します。図《ず》は春分《しゅんぶん》や秋分《しゅうぶん》時《じ》の南中高度《なんちゅうこうど》で、真東《まひがし》から太陽《たいよう》が昇《のぼ》り、真西《まにし》に沈《しず》みます。冬《ふゆ》は図《ず》の南《みなみ》に近《ちか》い所《ところ》から太陽《たいよう》が昇《のぼ》り南中高度《なんちゅうこうど》も低《ひく》くなり、反対《はんたい》に夏《なつ》は図《ず》の北《きた》に近《ちか》い所《ところ》から太陽《たいよう》が昇《のぼ》るので南中高度《なんちゅうこうど》も高《たか》くなります。

データ❷

地軸《ちじく》の傾《かたむ》きはなぜ起《お》こったのか？地球《ちきゅう》が出来上《できあ》がった約《やく》46億年前《おくねんまえ》に火星《かせい》くらいの天体《てんたい》が地球《ちきゅう》に衝突《しょうとつ》して月《つき》を作《つく》ったという説《せつ》があり、この衝突《しょうとつ》によって地軸《ちじく》は大《おお》きく傾《かたむ》いたと考《かんが》えられています。

ふしぎクイズ　もし地球《ちきゅう》の自転《じてん》が止《と》まったら、慣性《かんせい》の法則《ほうそく》（車《くるま》に乗《の》って急《きゅう》ブレーキをかけたら体《からだ》が前《まえ》のめりになる）で地上《ちじょう》のものは、東《ひがし》にとばされます。海《うみ》も東方向《ひがしほうこう》へ大津波《おおつなみ》、大陸《たいりく》を飲《の》み込《こ》みます。このとき、自転速度《じてんそくど》がゼロに近《ちか》い場所《ばしょ》が2箇所《かしょ》あり、ここにいれば助《たす》かります。その2箇所《かしょ》とは？

2ページ前《まえ》のこたえ　400

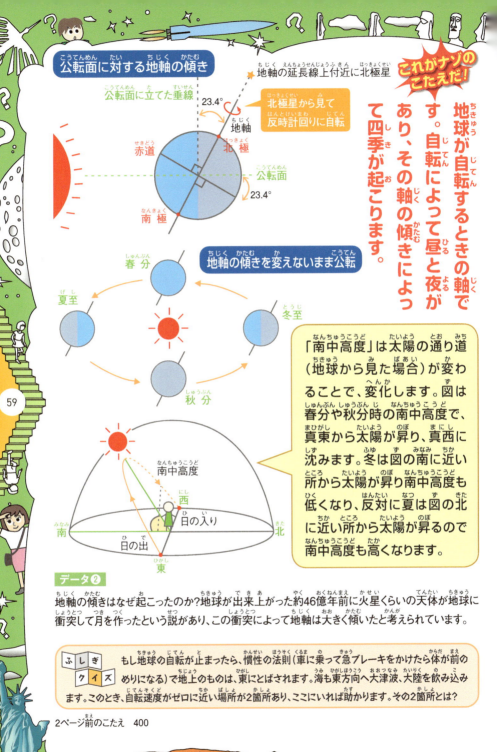

ガラパゴス諸島《しょとう》

世界的《せかいてき》にも珍《めずら》しい種類《しゅるい》のカメやイグアナがここには、どうしているのでしょうか？

ガラパゴス諸島《しょとう》は、南米《なんべい》エクアドルの西《にし》1000㎞の太平洋上《たいへいようじょう》にポツンとあります。火山活動《かざんかつどう》でできた19の群島《ぐんとう》からなり、面積《めんせき》は四国《しこく》の半分《はんぶん》くらいです。

北南米《ほくなんべい》の大陸《たいりく》から離《はな》れていたため、大型《おおがた》の陸生哺乳類《りくせいほにゅうるい》がいません。また、ほかの哺乳類《ほにゅうるい》にとっても生息環境《せいそくかんきょう》が厳《きび》しいものでした。

つまり、ガラパゴス諸島独自《しょとうどくじ》の生物《せいぶつ》環境《かんきょう》があったので、他《た》に類《るい》を見《み》ない、ガラパゴスゾウガメやウミイグアナなどが独自《どくじ》の進化《しんか》を遂《と》げながら生息《せいそく》しているのです。

▶左《ひだり》は「リクイグアナ」。右《みぎ》の赤《あか》っぽい色《いろ》の「ウミイグアナ」はガラパゴスの固有種《こゆうしゅ》。リクイグアナには、特定《とくてい》の島《しま》にしかいない種《しゅ》もあります

これがナゾのこたえだ!

太平洋《たいへいよう》の海《うみ》に浮《う》かぶ孤島《ことう》で、大陸《たいりく》の生物《せいぶつ》の祖先《そせん》から隔離《かくり》されたため、島々《しまじま》で独自《どくじ》に個有《こゆう》の〝種《しゅ》〟として進化《しんか》したからです。

▲ガラパゴスゾウガメ。「ガラパゴ」はスペイン語《ご》で「カメ」の意味《いみ》。ガラパゴスゾウガメも甲《こう》らの形《かたち》が違《ちが》う種類《しゅるい》もいます

写真《しゃしん》は諸島《しょとう》のひとつ「バルトロメ島《とう》」。諸島内《しょとうない》の4島《とう》にはおよそ2万人《まんにん》の人《ひと》が住《す》んでいます。観光客《かんこうきゃく》にはナチュラリストが同行《どうこう》します。彼《かれ》らは自然《しぜん》や生物《せいぶつ》を守《まも》るための監視《かんし》の役目《やくめ》も担《にな》っています。

データ

1535年《ねん》、スペイン人《じん》の司教《しきょう》が航海《こうかい》の途中《とちゅう》で偶然《ぐうぜん》、ガラパゴス諸島《しょとう》を発見《はっけん》しました。またビークル号《ごう》で1835年《ねん》に島《しま》を訪《おとず》れたチャールズ・ダーウィンは進化論《しんかろん》をここで思《おも》い付《つ》きました。

ふしぎクイズ

左《ひだり》の写真《しゃしん》の動物《どうぶつ》は何《なん》でしょう?フンボルト海流《かいりゅう》から流《なが》れてくる魚類《ぎょるい》をエサにしています。この動物《どうぶつ》の生息地《せいそくち》の北限《ほくげん》がここになっています。

2ページ前《まえ》のこたえ　北極《ほっきょく》と南極《なんきょく》

化石《かせき》からわかること

「化石《かせき》って何《なん》ですか?」そこに決《き》まりごとがあるの? 地質《ちしつ》とも大《おお》きく関係《かんけい》しているのかな。

化石《かせき》とは、地質時代《ちしつじだい》（約《やく》46億年前《おくねんまえ》から人類《じんるい》の歴史以前《れきしいぜん》・1万年前《まんねんまえ》まで）に生《い》きていた生物《せいぶつ》のこん跡《せき》です。化石《かせき》といっても石《いし》になっている必要《ひつよう》はなく、巣穴《すあな》や氷《こおり》づけのマンモスも化石《かせき》といいます。

生物《せいぶつ》が化石《かせき》として残《のこ》るには、タイミングよく土砂《どしゃ》に埋《う》もれ、水《みず》や空気《くうき》に触《ふ》れず腐《くさ》らない状態《じょうたい》で、数百年《すうひゃくねん》も経過《けいか》するなど、奇跡《きせき》のような条件《じょうけん》が必要《ひつよう》です。

このような化石《かせき》はいわば地球《ちきゅう》の歴《れき》史《し》であり、人類誕生《じんるいたんじょう》にもつながる遺産《いさん》ともいえるのです。

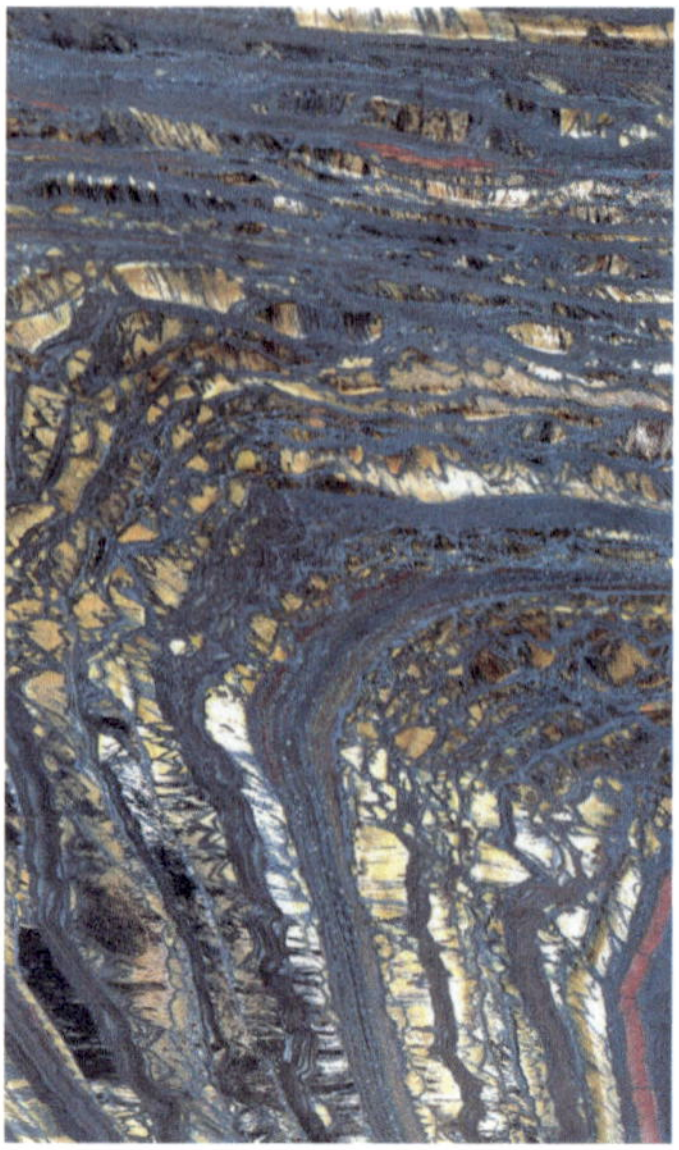

▲▶どちらも5億5千万年前《おくせんまんねんまえ》よりさかのぼる先《せん》カンブリア時代《じだい》の化石《かせき》。左《ひだり》は腔腸動物《こうちょうどうぶつ》（くらげ、いそぎんちゃくの仲間《なかま》）の化石《かせき》。右《みぎ》はラン藻植物《そうしょくぶつ》の化石《かせき》

これがナゾのこたえだ!

化石《かせき》とは過去《かこ》の生物《せいぶつ》のこん跡《せき》です。過去《かこ》とは、約《やく》46億年前《おくねんまえ》の地球《ちきゅう》誕生《たんじょう》からはじまる、地質時代《ちしつじだい》のことです。

地質年代表《ちしつねんだいひょう》

この年表《ねんぴょう》によってどの時代《じだい》の化石《かせき》であるかを分類《ぶんるい》しています

代	紀	年代
		1万年前《まんねんまえ》
新生代《しんせいだい》	第四紀《だいよんき》	
		180万年前《まんねんまえ》
新生代《しんせいだい》	新第三紀《しんだいさんき》	
		2500万年前《まんねんまえ》
新生代《しんせいだい》	古第三紀《こだいさんき》	
		6500万年前《まんねんまえ》
中生代《ちゅうせいだい》	白亜紀《はくあき》	
		1億《おく》4000万年前《まんねんまえ》
中生代《ちゅうせいだい》	ジュラ紀《き》	
		2億《おく》1000万年前《まんねんまえ》
中生代《ちゅうせいだい》	三畳紀《さんじょうき》	
		2億《おく》4000万年前《まんねんまえ》
古生代《こせいだい》	ベルム紀《き》	
		2億《おく》9000万年前《まんねんまえ》
古生代《こせいだい》	石炭紀《せきたんき》	
		3億《おく》6000万年前《まんねんまえ》
古生代《こせいだい》	デボン紀《き》	
		4億《おく》1000万年前《まんねんまえ》
古生代《こせいだい》	シルル紀《き》	
		4億《おく》4000万年前《まんねんまえ》
古生代《こせいだい》	オルドビス紀《き》	
		5億《おく》1000万年前《まんねんまえ》
古生代《こせいだい》	カンブリア紀《き》	
		5億《おく》5000万年前《まんねんまえ》
	先《せん》カンブリア時代《じだい》	

写真《しゃしん》は古生代《こせいだい》・オルドビス紀《き》の三葉虫《さんようちゅう》。古生代《こせいだい》を代表《だいひょう》する節足動物《せっそくどうぶつ》で、地質時代《ちしつじだい》ごとにさまざまな種類《しゅるい》が存在《そんざい》したようで、その数《かず》は1万種以上《まんしゅいじょう》といわれ、古生代《こせいだい》の終《お》わり、ベルム紀《き》に絶滅《ぜつめつ》しています。最《もっと》も大《おお》きい化石《かせき》は全長《ぜんちょう》60cmもあります。

データ① 地球上《ちきゅうじょう》にいつ生命《せいめい》が誕生《たんじょう》したのか? 確定《かくてい》はされていないようですが、38億年前《おくねんまえ》の岩石《がんせき》に生命由来《せいめいゆらい》のものと思《おも》われる炭素《たんそ》の層《そう》が見《み》つかっています。また34億年前以前《おくねんまえいぜん》のバクテリア化石《かせき》が発見《はっけん》され、約《やく》43億年前《おくねんまえ》に生命《せいめい》が発生《はっせい》したという人《ひと》もいます。

ふしぎクイズ 三葉虫《さんようちゅう》は、基本的《きほんてき》には海底《かいてい》を這《は》ったり、泳《およ》いだりして生活《せいかつ》していたものと想像《そうぞう》されます。現在《げんざい》も生存《せいぞん》する、「あるカニ」によく似《に》ているとされていますが、もちろん直系《ちょっけい》の子孫《しそん》ではないようです。そのカニとは?

2ページ前《まえ》のこたえ　ペンギン

身近《みぢか》で、古生代《こせいだい》などの化石《かせき》をさがして見《み》ることって可能《かのう》なのでしょうか？

簡単《かんたん》に見《み》つかる場所《ばしょ》が数多《かずおお》くあります。それは壁《かべ》などの仕上《しあ》げ材《ざい》として大理石《だいりせき》や石灰岩《せっかいがん》などを使《つか》っている所《ところ》です。日本《にほん》にある大理石《だいりせき》はヨーロッパ産《さん》がよく使《つか》われています。ヨーロッパ大陸《たいりく》は、先《せん》カンブリア時代《じだい》から中《ちゅう》生代《せいだい》まで4つの地層《ちそう》が広《ひろ》がっているからです。

壁面《へきめん》の化石《かせき》の中《なか》で、わかりやすいのがアンモナイトや細長《ほそなが》い虫《むし》のようなべレムナイト。中生代《ちゅうせいだい》の化石《かせき》でも、少《すく》なくとも6500万年前《まんねんまえ》の生物《せいぶつ》の跡《あと》が目《め》の前《まえ》でみることができるので、感《かん》慨深《がいぶか》いものがあります。

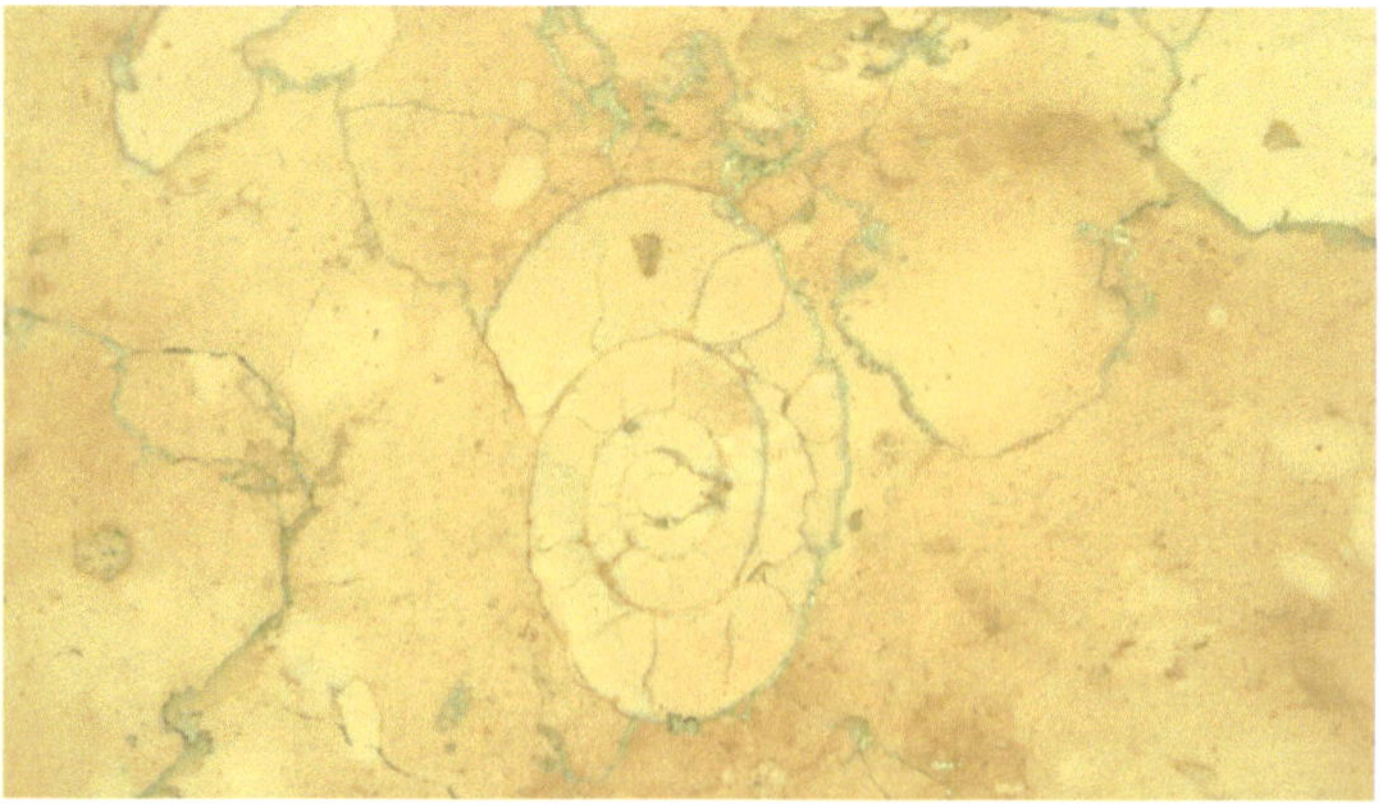

▲中生代《ちゅうせいだい》のアンモナイトの化石《かせき》。このイタリア産《さん》の大理石《だいりせき》はホテル内《ない》ロビーの柱《はしら》の一部《いちぶ》です

写真《しゃしん》は古生代《こせいだい》デボン紀《き》のアンモナイト。イカやタコ、オウムガイなどと同《おな》じ頭足類《とうそくるい》の仲間《なかま》です。約《やく》4億年前《おくねんまえ》に出現《しゅつげん》し、恐竜《きょうりゅう》と同《おな》じく中生代白亜紀《ちゅうせいだいはくあき》・約《やく》6500万年前《まんねんまえ》に絶滅《ぜつめつ》しました。世界最大《せかいさいだい》のアンモナイトはなんと直径《ちょっけい》2mあまりの大《おお》きさがあります。

これがナゾのこたえだ!

ホテルなどの建物内《たてものない》で大理石《だいりせき》や石灰岩《せっかいがん》を貼《は》った壁《かべ》や床《ゆか》に、アンモナイトなどの化石《かせき》が発見《はっけん》できます。

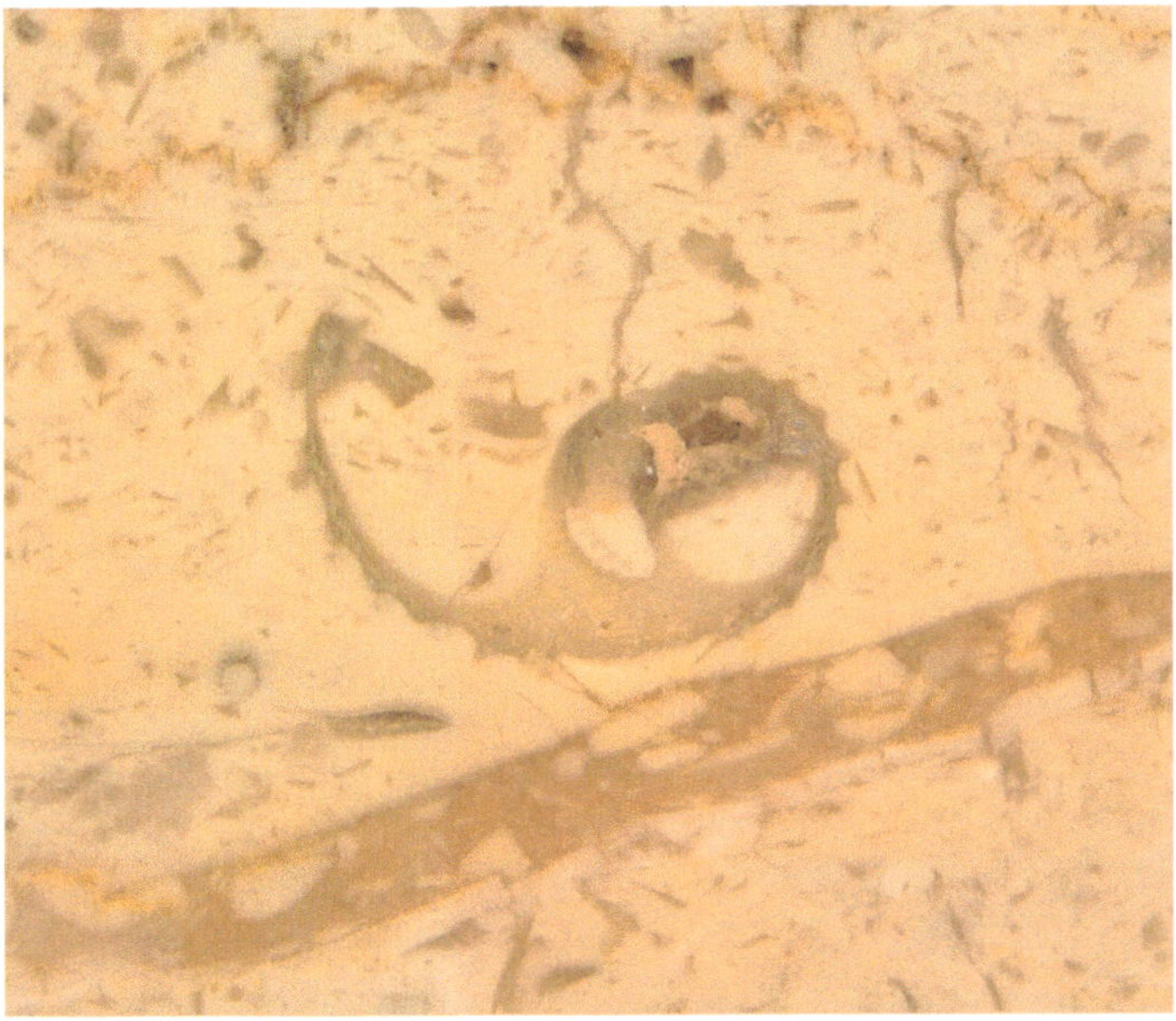

▲ある地下街《ちかがい》の大理石《だいりせき》の柱《はしら》にある「巻貝《まきがい》」の化石《かせき》（中生代《ちゅうせいだい》）。巻貝《まきがい》は分類的《ぶんるいてき》には軟体動物《なんたいどうぶつ》の有殻亜門《ゆうかくあもん》に属《ぞく》し、そのなかの腹足類《ふくそくるい》に入《はい》ります

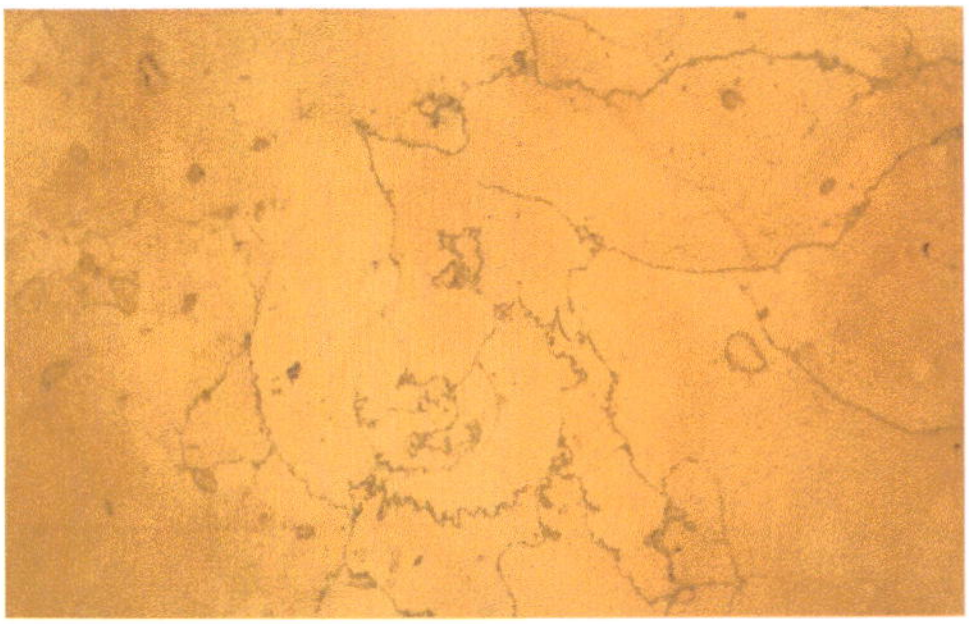

◀中生代《ちゅうせいだい》のアンモナイトの化石《かせき》
石灰岩《せっかいがん》が地下《ちか》のマグマ熱《ねつ》や地殻運動《ちかくうんどう》の影響《えいきょう》を受《う》けることなどによって結晶《けっしょう》をつくり、それがきれいな石《いし》、大理石《だいりせき》となります。石灰岩《せっかいがん》や大理石《だいりせき》はビルの中《なか》の壁《かべ》やカウンターなどに使《つか》われています。化石《かせき》をふくんでいる石灰岩《せっかいがん》や大理石《だいりせき》の色《いろ》は黒《くろ》、白《しろ》、赤茶色《あかちゃいろ》とさまざまです

データ❷ 地質年代表《ちしつねんだいひょう》（前項参照《ぜんこうさんしょう》）で最《もっと》も現代《げんだい》に近《ちか》い「第四紀《だいよんき》」。この約《やく》1万年前《まんねんまえ》は第四氷河期《だいよんひょうがき》の最後《さいご》の氷期《ひょうき》（最終氷期《さいしゅうひょうき》）にあたります。現在《げんざい》は間氷期《かんぴょうき》にあたり、この間氷期《かんぴょうき》は5万年《まんねん》は続《つづ》くという予測《よそく》がある一方《いっぽう》、2010年《ねん》から氷河期《ひょうがき》へ向《む》かうという説《せつ》もあります。

ふしぎクイズ

アンモナイトのような形《かたち》をしていて、現在《げんざい》も生存《せいぞん》している貝《かい》がいます。生《い》きた化石《かせき》ともいわれ、いくつかの水族館《すいぞくかん》で見《み》ることができます。その貝《かい》の名前《なまえ》は?

2ページ前《まえ》のこたえ　カブトガニ

ハワイ火山国立公園《かざんこくりつこうえん》

ハワイ諸島《しょとう》は火山《かざん》の爆発《ばくはつ》によってできたって本当《ほんとう》？ハワイ諸島《しょとう》の火山《かざん》について詳《くわ》しく知《し》りたいな！

ハワイ諸島《しょとう》は火山活動《かざんかつどう》で生《う》まれました。東《ひがし》へ行《い》くほど新《あたら》しく、東端《とうたん》で最大《さいだい》のハワイ島《とう》が隆起《りゅうき》したのは約《やく》50万年前《まんねんまえ》のこと。南東部《なんとうぶ》で今《いま》なお活動《かつどう》を続《つづ》ける2つの火山《かざん》（マウナ・ロア火山《かざん》とキラウエア火山《かざん》）を中心《ちゅうしん》に、およそ900㎢がハワイ火山国立公園《かざんこくりつこうえん》に指定《してい》されています。標高約《ひょうこうやく》4170mのマウナ・ロア火山《かざん》は水深《すいしん》6000mの海底《かいてい》からそびえ、海底《かいてい》から頂上《ちょうじょう》まで1万《まん》m以上《いじょう》と事実上世界最高《じじつじょうせかいさいこう》の山《やま》といえます。キラウエア火山《かざん》は、世界遺産《せかいいさん》にも登録《とうろく》され、その広大《こうだい》な景色《けしき》は何度《なんど》見《み》ても見飽《みあ》きないほどの魅力《みりょく》があります。現在《げんざい》も活動《かつどう》を続《つづ》け、いたるところから白《しろ》い煙《けむり》が立《た》ち上《のぼ》っています。キラウエア火山《かざん》の最大《さいだい》の見《み》どころは、キラウエア・カルデラ。カルデラとは窪地《くぼち》のことで、クレーターよりも大《おお》きいことを意味《いみ》しています。その展望台《てんぼうだい》からは、海《うみ》に流《なが》れ込《こ》む溶岩《ようがん》や丘《おか》に流《なが》れる溶岩《ようがん》を見《み》ることができます。

豊《ゆた》かに暮《く》らす人々《ひとびと》がいるその地下《ちか》で、今《いま》もなお何百年《なんびゃくねん》、何千年《なんぜんねん》と火山《かざん》が生《い》き続《つづ》けているハワイ。公園内《こうえんない》の地面《じめん》や石《いし》に触《さわ》ってみると温《あたた》かく、生《い》きている地球《ちきゅう》を体感《たいかん》できます。

これがナゾのこたえだ!

ハワイ諸島《しょとう》は火山活動《かざんかつどう》によって生《う》まれた島《しま》。地球《ちきゅう》の奥深《おくふか》くにあるホットスポット(マグマ溜《だ》まり)から噴出《ふんしゅつ》する溶岩《ようがん》によって形作《かたちづく》られました。

▲地球《ちきゅう》の内《うち》なる力《ちから》を実感《じっかん》させる世界最大《せかいさいだい》の活火山《かっかざん》・キラウエア

圧倒《あっとう》される大《おお》きさの巨大《きょだい》なキラウエア・カルデラ。さらにそのなかにあるハレマウマウ火口《かこう》は必見《ひっけん》です!

データ ハワイ島南東部《とうなんとうぶ》のマウナ・ロア火山《かざん》とキラウエア火山《かざん》の2つの火山《かざん》は、現在《げんざい》も噴火《ふんか》を続《つづ》ける地球上《ちきゅうじょう》で最大《さいだい》の活火山《かっかざん》。今《いま》も噴出《ふんしゅつ》した溶岩《ようがん》で、島《しま》の面積《めんせき》を拡大《かくだい》しているほどです。

ふしぎクイズ 今《いま》でも噴火《ふんか》を続《つづ》けているハワイ島《とう》・キラウエア火山《かざん》の火口《かこう》は、ハワイ神話《しんわ》に登場《とうじょう》する ある神《かみ》の宮殿《きゅうでん》にたとえられることがあります。「あまりに美《うつく》しく、そしてあまりにわがままで、思《おも》い通《どお》りにならないとすぐに火山《かざん》の怒《いか》りを爆発《ばくはつ》させる」といわれるその神《かみ》とはだれでしょう?

2ページ前《まえ》のこたえ　オウムガイ

シーラカンス

シーラカンスはなぜ「生《い》きた化石《かせき》」と呼《よ》ばれるようになったの?

1938年《ねん》、南《みなみ》アフリカのトロール漁船《ぎょせん》の船長《せんちょう》が、ある奇妙《きみょう》な大型魚《おおがたぎょ》を水揚《みずあ》げしました。地元《じもと》の博物館《はくぶつかん》の学芸員《がくげいいん》を通《つう》じ、ある魚類学者《ぎょるいがくしゃ》にスケッチを送《おく》ったところ、4億年前《おくねんまえ》から7000万年《まんねん》前《まえ》の化石《かせき》でしか存在《そんざい》を知《し》られていなかった恐竜《きょうりゅう》とともに絶滅《ぜつめつ》したと考《かんが》えられていた魚《さかな》、シーラカンス類《るい》の現生種《げんせいしゅ》だということがわかりました。標本《ひょうほん》を目《め》にした魚類学者《ぎょるいがくしゃ》はそれが間違《まちが》いないことを確認《かくにん》し、生物学《せいぶつがく》における世紀《せいき》の大発見《だいはっけん》として世界《せかい》に衝撃《しょうげき》を与《あた》えました。その14年後《ねんご》には2匹目《ひきめ》のシーラカンス類《るい》がインド洋《よう》コモロ諸島沖《しょとうおき》で捕獲《ほかく》され、近年《きんねん》は動画《どうが》の撮影《さつえい》にも成功《せいこう》しています。

▲ウィーン自然史博物館《しぜんしはくぶつかん》に収蔵《しゅうぞう》されているシーラカンスの保存標本《ほぞんひょうほん》

これがナゾのこたえだ!

それまで化石《かせき》でしか存在《そんざい》を知《し》られてなかったのに、何億《なんおく》年《ねん》も前《まえ》の化石《かせき》と変《か》わらない姿《すがた》で発見《はっけん》されたため、そう呼《よ》ばれるようになりました。

▲シーラカンスは主《おも》に水深《すいしん》150〜200mの岩礁《がんしょう》に囲《かこ》まれた海中《かいちゅう》洞窟《どうくつ》などに生息《せいそく》し、最大《さいだい》2mくらいと考《かんが》えられています

シーラカンスには陸地《りくち》を歩《ある》くことができそうなくらい発達《はったつ》した胸《むな》びれと腹《はら》びれがあり、大《おお》きな骨《ほね》と関節《かんせつ》をもっています。そのため魚類《ぎょるい》から両生類《りょうせいるい》へ変化《へんか》する過程《かてい》の姿《すがた》のままなのではと考《かんが》えられています。

データ フランスやオーストリアの研究《けんきゅう》チームの発表《はっぴょう》によると、うろこの模様《もよう》の分析《ぶんせき》からこれまで20年前後《ねんぜんご》と考《かんが》えられてきたシーラカンスの寿命《じゅみょう》が、100年《ねん》であることがわかりました。また、妊娠期間《にんしんきかん》も5年《ねん》に及《およ》び、魚類《ぎょるい》の中《なか》で最長《さいちょう》クラスということがわかりました。

ふしぎクイズ シーラカンス類《るい》の最盛期《さいせいき》はデボン紀《き》でその化石《かせき》は世界《せかい》に30種類以上《しゅるいいじょう》あります。ではすでに発見《はっけん》された現在《げんざい》も生息《せいそく》する現生種《げんせいしゅ》は何種類《なんしゅるい》でしょう。

2ページ前《まえ》のこたえ　火《ひ》の女神《めがみ》ペレ

マダガスカルとレムリア大陸《たいりく》

古文献《こぶんけん》や記録《きろく》などがいっさい存在《そんざい》しない、レムリア大陸《たいりく》がなぜ登場《とうじょう》することに？

19世紀後半《せいきこうはん》、イギリスの動物学者《どうぶつがくしゃ》・フィリップ・スクレーターはマダガスカル島《とう》とマレー半島《はんとう》で動物《どうぶつ》の生態系《せいたいけい》を調査《ちょうさ》していました。マダガスカルに生息《せいそく》する動植物種《どうしょくぶつしゅ》の約《やく》90％が固有《こゆう》という独自《どくじ》の生態系《せいたいけい》が特徴《とくちょう》ですが、この島《しま》にしか生息《せいそく》していないキツネザルの化石《かせき》がインドとマレー半島《はんとう》・インドネシアで発見《はっけん》されました。スクレーターが提唱《ていしょう》した仮説《かせつ》は、5000万年以上前《まんねんいじょうまえ》にマダガスカル島《とう》とインド、マレー半島《はんとう》の間《あいだ》に大陸《たいりく》が存在《そんざい》し、3つの場所《ばしょ》が陸続《りくつづ》きだったのではというものでした。その仮想大陸《かそうたいりく》にはキツネザルの英名《えいめい》である「レムール」にちなみ「レムリア大陸《たいりく》」と名《な》づけられました。

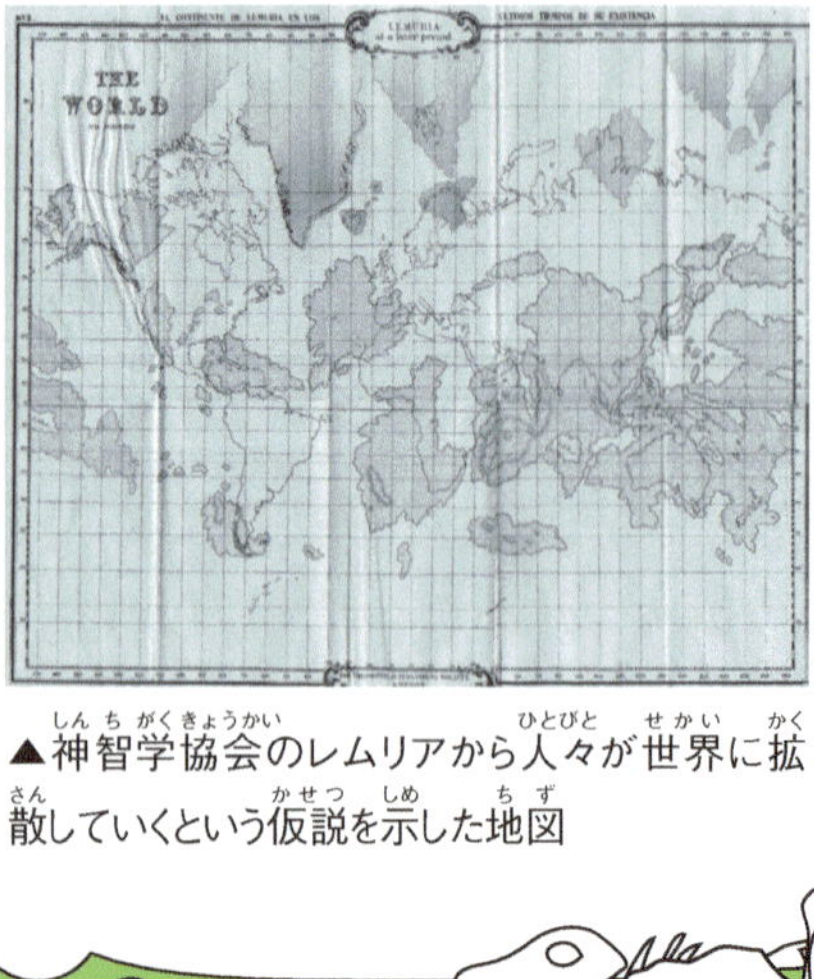

▲神智学協会《しんちがくきょうかい》のレムリアから人々《ひとびと》が世界《せかい》に拡散《かくさん》していくという仮説《かせつ》を示《しめ》した地図《ちず》

▲レムリア大陸《たいりく》の仮説《かせつ》を提唱《ていしょう》したイギリスの動物《どうぶつ》学者《がくしゃ》フィリップ・スクレーター

これがナゾのこたえだ!

マダガスカル島《とう》にしか存在《そんざい》しないキツネザルの化石《かせき》が、インドとマレー半島《はんとう》で発見《はっけん》され、インド洋《よう》に大陸《たいりく》が存在《そんざい》したと考《かんが》えられたからです。

▲マダガスカル島《とう》に生息《せいそく》するキツネザル

▲神智学協会《しんちがくきょうかい》の初代《しょだい》会長《かいちょう》、オルコット大佐《たいさ》

▲神智学協会《しんちがくきょうかい》の創始者《そうししゃ》の一人《ひとり》、ヘレナ・P《ペトロヴナ》・ブラヴァツキー

ヘレナ・P《ペトロヴナ》・ブラヴァツキーは1875年《ねん》にニューヨークで設立《せつりつ》された神智学協会《しんちがくきょうかい》という団体《だんたい》の創立者《そうりつしゃ》の一人《ひとり》。神秘思想《しんぴしそう》をベースに世界《せかい》の根源《こんげん》を探《さぐ》ろうとする団体《だんたい》で、彼女《かのじょ》はチャネリングにより啓示《けいじ》を受《う》け、同協会《どうきょうかい》の教《おし》えにしていました。その教《おし》えをまとめた「シークレット・ドクトリン」という本《ほん》に7万《まん》5000年前《ねんまえ》に、巨大大陸《きょだいたいりく》レムリアが存在《そんざい》したとの記述《きじゅつ》がありました。

データ インド洋《よう》ではなく太平洋上《たいへいようじょう》に赤道《せきどう》を半周《はんしゅう》するほどの大《おお》きさで存在《そんざい》し、ラ・ムーと呼《よ》ばれる指導者《しどうしゃ》により霊性《れいせい》が進化《しんか》した人々《ひとびと》がレムリア大陸《たいりく》にいましたが、地殻《ちかく》変動《へんどう》で大陸《たいりく》は徐々《じょじょ》に沈《しず》んでいったと「シークレット・ドクトリン」には記述《きじゅつ》されていました。

ふしぎクイズ アニメ映画《えいが》「マダガスカル」でニューヨークの動物園《どうぶつえん》を逃《に》げだした4頭《とう》とは、ライオン、シマウマ、カバと残りの一頭《いっとう》は?

2ページ前《まえ》のこたえ　2種類《しゅるい》

西之島《にしのしま》

"成長《せいちょう》する"「西之島《にしのしま》」ってどんなところ？ なんで年々《ねんねん》、島《しま》の形《かたち》が変《か》わってしまうの？

東京《とうきょう》から南《みなみ》へ約《やく》1000㎞の位置《いち》にあるのが"絶海《ぜっかい》の孤島《ことう》"と呼《よ》ばれる「西之島《にしのしま》」です。海底火山《かいていかざん》の噴火《ふんか》から誕生《たんじょう》した島《しま》として有名《ゆうめい》です。

この島《しま》の成《な》り立《た》ちは、太古《たいこ》の昔《むかし》に海《うみ》しか存在《そんざい》しなかった地球《ちきゅう》に、どのようにして大陸《たいりく》が作《つく》られたかという謎《なぞ》のヒントが隠《かく》されています。また今後《こんご》の観察《かんさつ》により、ゼロの状態《じょうたい》から生態系《せいたいけい》ができあがる過程《かてい》が解明《かいめい》されるかもしれないのです。このように、現在《げんざい》、西《にし》之島《のしま》は「自然《しぜん》の実験場《じっけんじょう》」として多《おお》くの科学者《かがくしゃ》が注目《ちゅうもく》している島《しま》なのです。

▲2020年《ねん》7月《がつ》の時点《じてん》で面積《めんせき》2.95㎢、最高《さいこう》標高《ひょうこう》200mとなり、東京《とうきょう》ドーム62個分《こぶん》の広《ひろ》さを誇《ほこ》っています

これがナゾのこたえだ！

海底火山《かいていかざん》の噴火《ふんか》により、陸地《りくち》ができて島《しま》となった珍《めずら》しい場所《ばしょ》。火山《かざん》の噴火《ふんか》や、海《うみ》の浸食《しんしょく》で島《しま》の形《かたち》が頻繁《ひんぱん》に変化《へんか》します。

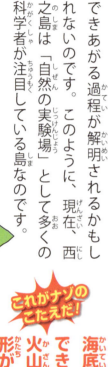

世界《せかい》の不思議《ふしぎ》な遺跡《いせき》

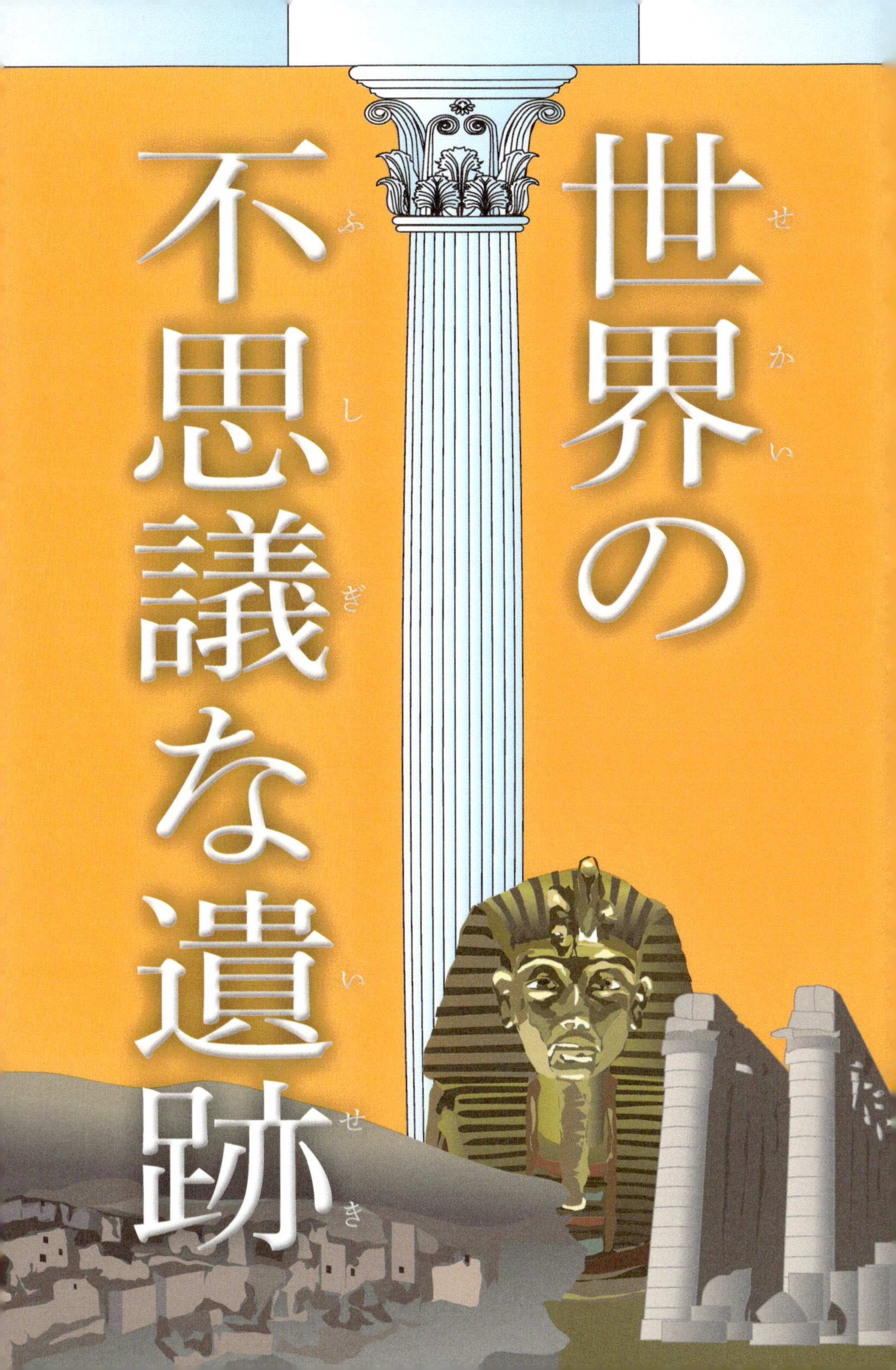

秦《しん》の始皇帝陵《しこうていりょう》

20世紀《せいき》最大《さいだい》の発見《はっけん》といわれる始皇帝陵《しこうていりょう》の兵馬俑《へいばよう》！何《なん》のために陶器《とうき》の兵士《へいし》や馬《うま》がつくられたの？

紀元前《きげんぜん》3世紀《せいき》、7つの国《くに》が争《あらそ》っていた戦乱《せんらん》の時代《じだい》を制《せい》して、中国《ちゅうごく》を初《はじ》めて全国統一《ぜんこくとういつ》した秦《しん》。

その最初《さいしょ》の皇帝《こうてい》となった秦《しん》の始皇《しこう》帝《てい》が、40年《ねん》の歳月《さいげつ》をかけ、70万人《まんにん》もの労働力《ろうどうりょく》を動員《どういん》してつくりあげたのが、西安《せいあん》の東約《ひがしやく》30㎞に位置《いち》する秦《しん》の始皇帝陵《しこうていりょう》です。かの有名《ゆうめい》な阿房宮《あぼうきゅう》、万里《ばんり》の長城《ちょうじょう》を築《きず》くと同時《どうじ》に、始皇帝《しこうてい》は自分《じぶん》の墓《はか》をつくりはじめたのです。陵墓《りょうぼ》そのものは高《たか》さ47ｍの墳丘《ふんきゅう》で、一見《いっけん》すると単《たん》なる山《やま》のようですが、実《じつ》は2㎞離《はな》れた兵馬俑《へいばよう》（現《げん》・兵馬俑《へいばよう》博物館《はくぶつかん》）までもが、もともとは一《ひと》つの墓《はか》だったといわれています。陵《りょう》には、盗《ぬす》みを防《ふせ》ぐため、そこに近《ちか》づく者《もの》には矢《や》を射《い》るしかけまであったといいます。

兵馬俑《へいばよう》は1974年《ねん》に偶然発見《ぐうぜんはっけん》されました。地下《ちか》5ｍの巨大《きょだい》な地下《ちか》空間《くうかん》におびただしい数《かず》の兵士《へいし》や馬《うま》の素焼《すや》きの像《ぞう》が残《のこ》されていることが分《わ》かったのです。兵馬俑《へいばよう》は始皇帝陵《しこうていりょう》からのびる道《みち》に沿《そ》って配置《はいち》されていました。そう考《かんが》えるとそのスケールの大《おお》きさには驚《おどろ》くばかりですね。

これがナゾのこたえだ!

1974年《ねん》に井戸《いど》掘《ほ》り作業中《さぎょうちゅう》に偶然《ぐうぜん》に、無数《むすう》の陶器《とうき》の兵士《へいし》や馬車《ばしゃ》が現《あらわ》れました。死後《しご》の始皇帝《しこうてい》を永遠《えいえん》に守《まも》るためにつくられたと考《かんが》えられています。

▲始皇帝陵《しこうていりょう》から東《ひがし》に2㎞ほど進《すす》んだところに位置《いち》する「兵馬俑《へいばよう》」

データ

中国統一《ちゅうごくとういつ》を果《は》たした強大《きょうだい》な秦軍《しんぐん》を克明《こくめい》に模《も》して作《つく》られた兵馬俑《へいばよう》からは、当時《とうじ》の軍《ぐん》の陣形《じんけい》や民族構成《みんぞくこうせい》までも見《み》て取《と》れます。また、それらの形《かたち》はそれぞれ異《こと》なっていて、表情《ひょうじょう》や態度《たいど》が生《い》き生《い》きとして、芸術的《げいじゅつてき》にも高《たか》く評価《ひょうか》されています。そのために兵馬俑《へいばよう》は「20世紀最大《せいきさいだい》の発見《はっけん》」として世界中《せかいじゅう》の人々《ひとびと》から注目《ちゅうもく》されています。不老不死《ふろうふし》の命《いのち》を求《もと》めてやまなかった始皇帝《しこうてい》は、この地下《ちか》の軍団《ぐんだん》を率《ひき》いて、永遠《えいえん》に世界《せかい》を支配《しはい》しようとしていたのかもしれませんね。

ふしぎクイズ

残忍《ざんにん》な性格《せいかく》の独裁者《どくさいしゃ》として後世《こうせい》にまでその名《な》を残《のこ》している秦《しん》の始皇帝《しこうてい》。厳《きび》しい法律《ほうりつ》や急激《きゅうげき》な改革《かいかく》は人民《じんみん》の恨《うら》みを買《か》い、始皇帝《しこうてい》の死後《しご》すぐに秦《しん》は滅《ほろ》びてしまいました。さて、秦《しん》という国《くに》は何年《なんねん》の間《あいだ》、中国《ちゅうごく》を統一《とういつ》していたでしょうか?

4ページ前《まえ》のこたえ　キリン

メサ・ヴェルデ

昔《むかし》からアメリカにいた人《ひと》は変《か》わり者《もの》!? どうして崖《がけ》のなかに住居《じゅうきょ》を建《た》てたりしたの？

このナゾの多《おお》い住居遺跡《じゅうきょいせき》はアメリカコロラド州南西部《しゅうなんせいぶ》のメサ・ヴェルデ国立公園《こくりつこうえん》のなかにあります。

アナサジ族《ぞく》は紀元元年前後《きげんがんねんぜんご》からこの一帯《いったい》に住《す》んでいたといわれ、日干《ひぼ》しレンガを使《つか》い、崖《がけ》を利用《りよう》した2・3階建《かいだ》ての集合住宅《しゅうごうじゅうたく》を建《た》てて生活《せいかつ》していました。この古代《こだい》の崖《がけ》の都市《とし》は公園内《こうえんない》に点在《てんざい》していますが、「クリフ・パレス」という場所《ばしょ》が最大《さいだい》の遺跡《いせき》で部屋数《へやかず》も200ほどあります。なおアナサジ族《ぞく》は1300年頃《ねんごろ》、なぜかここを捨《す》てて消《き》えたという説《せつ》がありますが、現在《げんざい》は見直《みなお》されています。

▲写真《しゃしん》は「クリフ・パレス」。ここにはキバといわれる深《ふか》い穴《あな》が23もあり、宗教的《しゅうきょうてき》な儀式《ぎしき》に使《つか》われていました

これがナゾのこたえだ!

アメリカ先住民《せんじゅうみん》のアナサジ族《ぞく》は、敵《てき》の攻撃《こうげき》を防《ふせ》ぐために、崖《がけ》を上手《じょうず》に利用《りよう》することを学《まな》び、住居《じゅうきょ》を建《た》てたといわれています。

写真《しゃしん》は「スクエア・タワー・ハウス」。このような崖《がけ》の都市《とし》を1300年頃《ねんごろ》捨《す》てたとされていますが、アナサジ族《ぞく》はほぼ10年周期《ねんしゅうき》で移住《いじゅう》を繰《く》り返《かえ》していたといわれ、単《たん》に別《べつ》の場所《ばしょ》に移住《いじゅう》したという新説《しんせつ》もあります。

データ

アナサジ族《ぞく》は、消《き》えたナゾの部族《ぶぞく》ではなく、プエブロ族《ぞく》として存続《そんぞく》し続《つづ》けているという報告《ほうこく》もあります。実際《じっさい》、プエブロ族《ぞく》は現在《げんざい》もなお、メサ・ヴェルデなどの偉大《いだい》な遺跡《いせき》を先祖崇拝《せんぞすうはい》の場《ば》として使用《しよう》しています。

ふしぎクイズ

メサ・ヴェルデ国立公園内《こくりつこうえんない》の最大規模《さいだいきぼ》の遺跡《いせき》は、ツアーチケットを購入《こうにゅう》するとレンジャーというガイドさんがついて、住居跡《じゅうきょあと》を目《め》の前《まえ》で見《み》ることできます。チケットがないと、この遺跡《いせき》を遠《とお》くから眺《なが》めることしかできません。さて、この最大規模《さいだいきぼ》の遺跡《いせき》の名称《めいしょう》は?

2ページ前《まえ》のこたえ　15年《ねん》(始皇帝《しこうてい》の死後《しご》、4年《ねん》で秦《しん》は滅《ほろ》びました)

ボロブドゥル寺院遺跡《じいんいせき》

火山灰《かざんばい》から発見《はっけん》された世界最大《せかいさいだい》の仏教遺跡《ぶっきょういせき》！不思議《ふしぎ》な造形《ぞうけい》は、だれが何《なん》のためにつくったの？

ジャワ島中部《とうちゅうぶ》、ジョクジャカルタの北西約《ほくせいやく》40㎞にあるボロブドゥル寺院《じいん》は、8世紀後半《せいきこうはん》～9世紀中頃《せいきなかごろ》に、シャイレーンドラ朝《ちょう》によって建《た》てられました。自然《しぜん》の丘《おか》をそのまま使《つか》い、そこに盛《も》り土《つち》をし、さらに切石《きりいし》を積《つ》み上《あ》げてつくられています。一般的《いっぱんてき》な寺院《じいん》とはまるで異《こと》なり、内部空間《ないぶくうかん》はなく、1辺《ぺん》が120mの基壇《きだん》の上《うえ》に5層《そう》の方形壇《ほうけいだん》、その上《うえ》に3層《そう》の円形壇《えんけいだん》を重《かさ》ね、全体《ぜんたい》として9層《そう》のピラミッド状《じょう》を形成《けいせい》し、頂部《ちょうぶ》には巨大《きょだい》な釣鐘型《つりがねがた》ストゥーパ（墓《はか》）を置《お》いています。

▲四方《しほう》の基壇《きだん》の上《うえ》に5層《そう》の方形壇《ほうけいだん》、3層《そう》の円形壇《えんけいだん》が乗《の》る世界最大《せかいさいだい》の仏教遺跡《ぶっきょういせき》

これがナゾのこたえだ!

「密教《みっきょう》の教《おし》えにもとづいた寺院《じいん》」など、いろいろな説《せつ》が考《かんが》えられています。

▲全部《ぜんぶ》で504体《たい》にものぼる仏像《ぶつぞう》が安置《あんち》されています

▶メラビ山《さん》の噴火《ふんか》により、19世紀《せいき》はじめまで火山灰《かざんばい》に埋《う》もれていました

データ シャイレーンドラ朝《ちょう》の衰退《すいたい》とともにボロブドゥル寺院《じいん》は密林《みつりん》に埋《う》もれてしまい、次《つぎ》に発見《はっけん》されたのは1814年《ねん》のこと。その後《ご》、大規模《だいきぼ》な修復工事《しゅうふくこうじ》により、現在《げんざい》の姿《すがた》にまで修復《しゅうふく》されました。内部空間《ないぶくうかん》を持《も》たないこの寺院《じいん》の造形《ぞうけい》は、他《た》の寺院《じいん》に例《れい》を見《み》ないものです。そのため大乗仏教《だいじょうぶっきょう》の宇宙観《うちゅうかん》である三界《さんかい》を表《あらわ》したものなど、いろいろな説《せつ》があります。

ふしぎクイズ 寺院自体《じいんじたい》が大《おお》きな曼陀羅《まんだら》をつくりあげているボロブドゥル寺院遺跡《じいんいせき》。その壮大《そうだい》な景観《けいかん》はある有名《ゆうめい》な世界遺産《せかいいさん》と比較《ひかく》されることが多《おお》いのですが、その世界遺産《せかいいさん》とは何《なん》でしょう?

2ページ前《まえ》のこたえ　クリフ・パレス

アテネのアクロポリス

アクロポリスにあるパルテノン神殿《しんでん》は、なんのために建《た》てられたの？

アクロポリスとは古代《こだい》ギリシャ語《ご》で「高《たか》い丘《おか》の上《うえ》の都市《とし》」という意味《いみ》です。標高約《ひょうこうやく》150mの石灰岩《せっかいがん》の丘《おか》にあり、遺跡《いせき》は古典期《こてんき》ギリシャ建築《けんちく》の中《なか》でも最《もっと》も評価《ひょうか》されています。当時《とうじ》はポリス（都市国家《としこっか》）防衛《ぼうえい》の要塞《ようさい》として、そして神殿《しんでん》がある聖域《せいいき》として利用《りよう》されていたようです。紀元前《きげんぜん》8世紀《せいき》のアテナ信仰《しんこう》が盛《さか》んになってきた頃《ころ》、山頂《さんちょう》に守護神《しゅごしん》を祀《まつ》る多《おお》くの神殿《しんでん》が築《きず》かれアクロポリスは聖域《せいいき》として機能《きのう》し始《はじ》めます。紀元前《きげんぜん》6世紀《せいき》にはパルテノン神殿《しんでん》の前身《ぜんしん》、古《こ》パルテノンが建《た》てられましたがペルシア戦争《せんそう》で破壊《はかい》され、紀元前《きげんぜん》5～前《ぜん》4世紀《せいき》にパルテノン神殿《しんでん》をはじめ数々《かずかず》の神殿《しんでん》が再建《さいけん》造《ぞう》されました。

▲宗教《しゅうきょう》や政治《せいじ》、軍事的《ぐんじてき》にも重要《じゅうよう》な都市《とし》だったアテナのアクロポリス

これがナゾのこたえだ!

パルテノン神殿《しんでん》が建設《せんせつ》されたのは紀元前《きげんぜん》432年頃《ねんころ》で、ゼウスの娘《むすめ》・アテナに捧《ささ》げるためにできた神殿《しんでん》といわれています。

▲ギリシャの神々《かみがみ》が今《いま》にも現《あらわ》れそうなパルテノン神殿《しんでん》

パルテノン神殿《しんでん》の向《む》かいにあるエレクティオン神殿《しんでん》は、神話《しんわ》の中《なか》では女神《めがみ》アテナと海神《かいじん》ポセイドンがアテネの守護神《しゅごしん》の座《ざ》をかけて争《あらそ》った場所《ばしょ》と伝《つた》えられています。屋根《やね》を支《ささ》える6本《ぼん》の女神像《めがみぞう》(レプリカ)が有名《ゆうめい》です。

データ

パルテノン神殿《しんでん》は古代《こだい》ギリシャ建築《けんちく》の最高峰《さいこうほう》の技術《ぎじゅつ》で建設《けんせつ》された神殿《しんでん》で、46本《ぼん》の柱《はしら》があり、外部《がいぶ》に見《み》られるドーリス式《しき》の柱《はしら》と内部《ないぶ》に見《み》られるイオニア式《しき》の柱《はしら》があります。柱《はしら》の中心《ちゅうしん》が少《すこ》しふくらんだエンタシスという技法《ぎほう》が用《もち》いられているのが特徴《とくちょう》です。

ふしぎクイズ

オリンピック発祥《はっしょう》の地《ち》であるオリンピア遺跡《いせき》がギリシャにあります。記録《きろく》によると紀元前《きげんぜん》776年《ねん》からローマ時代《じだい》のあと393年《ねん》まで約《やく》1200年競技会《ねんきょうぎかい》は続《つづ》いたそうです。さて何年《なんねん》に1度《ど》の開催《かいさい》だったでしょう?

2ページ前《まえ》のこたえ　アンコール・ワット(カンボジア)

フォロ・ロマーノ

日本《にほん》の弥生時代《やよいじだい》と同時期《どうじき》に栄《さか》えたローマ帝国《ていこく》。浴場《よくじょう》や劇場《げきじょう》などもすでに存在《そんざい》していたのは本当《ほんとう》？

フォロ・ロマーノは、イタリアのローマにある古代《こだい》ローマ帝国時代《ていこくじだい》の遺跡《いせき》です。都市《とし》の政治《せいじ》、宗教《しゅうきょう》の中心《ちゅうしん》として栄《さか》えたフォロ・ロマーノは、当時《とうじ》の権力者《けんりょくしゃ》たちが自分《じぶん》たちの力《ちから》を示《しめ》すため、たくさんの建造物《けんぞうぶつ》を建《た》てました。

遺跡《いせき》の中心《ちゅうしん》を通《とお》る道《みち》が「聖《せい》なる道《みち》」。戦争《せんそう》で勝利《しょうり》をおさめた権力者《けんりょくしゃ》がパレードを行《おこな》った通《とお》りで、凱旋門《がいせんもん》、神殿《しんでん》などの遺跡《いせき》が数多《かずおお》く並《なら》んでいます。日本《にほん》ではまだ弥生時代《やよいじだい》の頃《ころ》に、これほどの文明《ぶんめい》が栄《さか》えていたなんてオドロキですね。

▲203年《ねん》に完成《かんせい》したセプティミウス・セウェルスの凱旋門《がいせんもん》

これがナゾのこたえだ!

日本《にほん》の弥生時代《やよいじだい》は紀元前《きげんぜん》8世紀《せいき》から3世紀頃《せいきごろ》。劇場《げきじょう》のコロッセウムが紀元《きげん》80年《ねん》、カラカラの浴場《よくじょう》が紀元《きげん》217年《ねん》に完成《かんせい》しているから、日本《にほん》はかなり遅《おく》れていた!?

▲右《みぎ》の8本柱《ぼんばしら》はサトゥルヌス神殿跡《しんでんあと》、左《ひだり》の3本柱《ぼんばしら》はヴェスパシアヌス神殿跡《しんでんあと》

凱旋門《がいせんもん》とは、戦《たたか》いでの勝利《しょうり》を祝《いわ》い、記念《きねん》するために建《た》てられた建造物《けんぞうぶつ》。凱旋門《がいせんもん》を建《た》てたあと凱旋式《がいせんしき》を行い、凱旋門《がいせんもん》を通《とお》って盛大《せいだい》にパレードしたようです。フォロ・ロマーノの凱旋門《がいせんもん》は美術的《びじゅつてき》にも注目《ちゅうもく》されています。

データ

ローマ帝国《ていこく》の英雄《えいゆう》として有名《ゆうめい》なのが、カエサル。紀元前《きげんぜん》44年《ねん》にカエサルが亡《な》くなってから、彼《かれ》のために建《た》てられたのがカエサルの神殿跡《しんでんあと》です。いまだに花《はな》を供《そな》える人《ひと》が後《あと》を絶《た》たないそうです。

ふしぎクイズ

エジプトの美女《びじょ》クレオパトラを恋人《こいびと》にしたことでも有名《ゆうめい》なカエサル。彼《かれ》は、かつての恋人《こいびと》との間《あいだ》に生《う》まれた息子《むすこ》のブルータスに暗殺《あんさつ》されてしまいます。最後《さいご》にカエサルがいった有名《ゆうめい》な一言《ひとこと》は?

2ページ前《まえ》のこたえ　4年《ねん》に1度

ルクソール

古代《こだい》エジプトの首都《しゅと》でもあった〝ルクソール〟。巨像《きょぞう》や王《おう》の墓《はか》はなにを表《あらわ》すの？

ルクソールは、エジプトの首都《しゅと》カイロから南《みなみ》へ約《やく》670㎞、ナイル川《がわ》の上流《じょうりゅう》にあります。

古代《こだい》エジプトの遺跡《いせき》がナイル川《がわ》の東岸《とうがん》と西岸《せいがん》に分《わ》かれて残《のこ》っています。東岸《とうがん》にはカルナック神殿《しんでん》、ルクソール神殿《しんでん》などがあり、西岸《せいがん》には王家《おうけ》の谷《たに》（ツタンカーメンの墓《はか》などがある）、王妃《おうひ》の谷《たに》、メムノンの巨像《きょぞう》など、王《おう》墓群《ぼぐん》が多《おお》くあります。太陽《たいよう》が昇《のぼ》るナイル東岸《とうがん》は、生命《せいめい》と成長《せいちょう》を意味《いみ》する「生者《せいじゃ》の都《みやこ》」、日《ひ》の沈《しず》むナイル西岸《せいがん》は「死者《ししゃ》の都《みやこ》」と考《かんが》えられています。

▲「メムノンの巨像《きょぞう》」はナイルのグリーンベルトに立《た》つ、対《つい》の巨大石像《きょだいせきぞう》。第《だい》18王朝《おうちょう》アメンヘテプ3世葬祭殿《せいそうさいでん》の塔門《とうもん》にあった石像《せきぞう》といわれています

これがナゾのこたえだ!

古代《こだい》エジプトの都《みやこ》"テーベ"のあった場所《ばしょ》・ルクソールには、王朝全盛《おうちょうぜんせい》期《き》の遺跡《いせき》が残《のこ》っています。

◀ルクソール神殿《しんでん》はアメンヘテプ2世《せい》とラムセス2世《せい》が最高神《さいこうしん》のアメン・ラー神《しん》に捧《ささ》げるために建造《けんぞう》。写真《しゃしん》は神殿《しんでん》の入口《いりぐち》で、一対《いっつい》のラムセス2世《せい》の坐像《ざぞう》があり、高《たか》さ25mのオベリスクが1本《ぽん》だけ残《のこ》っています。神殿《しんでん》内《ない》には、ラムセス2世《せい》やアメンヘテプ3世《せい》の中庭《なかにわ》などがあり、壁《かべ》はレリーフや象形文字《しょうけいもじ》などが刻《きざ》まれており、まさに野外《やがい》博物館《はくぶつかん》です

写真《しゃしん》は第《だい》18王朝《おうちょう》12代目《だいめ》のファラオ、ツタンカーメンの墓《はか》の内部《ないぶ》です。王《おう》のミイラの頭部《とうぶ》を覆《おお》っていた黄金《おうごん》のマスクなど、数々《かずかず》の副葬品《ふくそうひん》はカイロのエジプト考古学《こうこがく》博物館《はくぶつかん》に収蔵《しゅうぞう》されています。

データ ルクソール(テーベ)が宮殿都市《きゅうでんとし》となったのは、紀元前《きげんぜん》2010年頃《ねんころ》、第《だい》11王朝《おうちょう》メンチュヘテプ2世《せい》の時代《じだい》といわれています。ここにある遺跡《いせき》や王墓《おうぼ》の多《おお》くは、古代《こだい》エジプトが黄金《おうごん》に輝《かがや》いていた新王国時代《しんおうこくじだい》(およそ紀元前《きげんぜん》1570年《ねん》〜1070年《ねん》)といわれる第《だい》17・18・19王朝時代《おうちょうじだい》のものです。

ふしぎクイズ ルクソール神殿《しんでん》のオベリスク(神殿《しんでん》などに立《た》てられた記念碑《きねんひ》の一種《いっしゅ》)のもう1本《いっぽん》が、○○○○・パリのコンコルド広場《ひろば》に立《た》っています。これは1831年《ねん》にエジプト太守《たいしゅ》が国王《こくおう》ルイ・フィリップ1世《せい》に贈呈《ぞうてい》したものです。○○○○のヨーロッパの国《くに》はどこでしょうか?

2ページ前《まえ》のこたえ 「ブルータス、お前《まえ》もか!」

メキシコの古代遺跡《こだいいせき》

解明《かいめい》されていないことが多《おお》いメキシコの古代遺跡群《こだいいせきぐん》。特《とく》に、古代《こだい》マヤ文明《ぶんめい》はナゾに満《み》ちあふれている!!

たくさんの古代遺跡《こだいいせき》が点在《てんざい》するメキシコ。なかでも、パレンケ、ウシュマル、マヤパン、チチェン・イツァなどの古代《こだい》マヤ文明《ぶんめい》の遺跡《いせき》が多《おお》く、さらにテオティワカンなどのマヤ文明《ぶんめい》よりも古《ふる》い遺跡《いせき》もあります。

古代《こだい》マヤ文明《ぶんめい》の特徴《とくちょう》は、不思議《ふしぎ》な世界《せかい》を象徴《しょうちょう》するピラミッド。多《おお》くは宗教儀式《しゅうきょうぎしき》のために広場《ひろば》を囲《かこ》むように配置《はいち》されています。メソアメリカ文《ぶん》明史上最大《めいしじょうさいだい》の都市遺跡《としいせき》テオティワカンは、そのスケールの大《おお》きさに誰《だれ》もがビックリ!

▲ラテンアメリカでも最大《さいだい》の建造物《けんぞうぶつ》のひとつテオティワカンの「太陽《たいよう》のピラミッド」

これがナゾのこたえだ！

古代《こだい》マヤ文明《ぶんめい》のなりたちは紀元《きげん》前《ぜん》1500年頃《ねんごろ》といわれ、9世紀《せいき》頃《ごろ》突然《とつぜん》姿《すがた》を消《け》すなど謎《なぞ》が多《おお》くのこされています。

▲「マヤの秘宝《ひほう》」とも呼《よ》ばれるパレンケ遺跡《いせき》は、18世紀《せいき》に発見《はっけん》されました

チチェン・イツァのカスティーヨ

6〜7世紀《せいき》に栄《さか》えたと伝《つた》わるチチェン・イツァ。この都市遺跡《としいせき》でもっとも有名《ゆうめい》なのが、高《たか》さ30mのピラミッドカスティーヨです。ピラミッドの上《うえ》にはヘビの神《かみ》ククルカンの神殿《しんでん》があります。

データ マヤ文明《ぶんめい》の特徴《とくちょう》は天文学《てんもんがく》が発達《はったつ》していたこと。そのほか、染色《せんしょく》と織物《おりもの》に関《かん》しては高《たか》い技術《ぎじゅつ》を持《も》っており、土器芸術《どきげいじゅつ》は新大陸《しんたいりく》でも最高《さいこう》のレベルでした。文字《もじ》も使用《しよう》されていました。

ふしぎクイズ

マヤ文明《ぶんめい》は、16世紀《せいき》にスペイン人《じん》に征服《せいふく》されてしまいますが、それ以前《いぜん》の9世紀《せいき》に都市《とし》が突然滅亡《とつぜんめつぼう》したという伝説《でんせつ》が残《のこ》っています。滅亡《めつぼう》の理由《りゆう》として、疫病《えきびょう》、都市間《としかん》の争《あらそ》いなど、いろいろな説《せつ》がありますが、一番有名《いちばんゆうめい》な説《せつ》は?

2ページ前《まえ》のこたえ　フランス

マチュピチュ

20世紀《せいき》考古学会《こうこがっかい》の最大《さいだい》の発見《はっけん》！　マチュピチュ。アンデスの山奥《やまおく》に、なぜこんな都市《とし》が…？

1911年《ねん》、ペルーにあるマチュピチュを発見《はっけん》・紹介《しょうかい》したのはアメリカ人《じん》の歴史家《れきしか》・ハイラム・ビンガムです。16世紀《せいき》にインカ帝国《ていこく》を征服《せいふく》したスペイン人《じん》も気《き》づかず、400年以上《ねんいじょう》も人《ひと》の目《め》に触《ふ》れることがなかったのです。

突《つ》き出《で》た山《やま》・ワイナピチュのふもとに広《ひろ》がるマチュピチュには、中央広場《ちゅうおうひろば》、神殿《しんでん》、宮殿《きゅうでん》、居住区《きょじゅうく》などインカの遺跡《いせき》が並《なら》んでいます。段々畑《だんだんばたけ》や水路《すいろ》もありました。

この高度《こうど》な都市《とし》が造《つく》られた理由《りゆう》は未《いま》だにわからないままです。

▲ふもとからは全《まった》く見《み》ることができないため「空中都市《くうちゅうとし》」といわれています。なお、マチュピチュとはケチュア語《ご》で「古《ふる》い峰《みね》」という意味《いみ》です

これがナゾのこたえだ!

標高《ひょうこう》2400mの断崖絶壁《だんがいぜっぺき》の上《うえ》にある空中都市《くうちゅうとし》・マチュピチュ。15世《せい》紀《き》にインカの皇帝《こうてい》が建設《けんせつ》。

▲この尖《とが》った山《やま》がワイナピチュ、マチュピチュ遺跡《いせき》のシンボルになっており「若《わか》い峰《みね》」という意《い》味《み》です

写真《しゃしん》・右奥《みぎおく》の円形《えんけい》の石造《いしづく》りが「太陽《たいよう》の神殿《しんでん》」。マチュピチュで唯一《ゆいいつ》の曲線《きょくせん》の石積《いしづ》みでここが神聖《しんせい》な場所《ばしょ》であったことを物語《ものがた》っています。またインティワタナ（太陽《たいよう》をつなぎ留《と》める柱《はしら》）という高台《たかだい》の場所《ばしょ》は、天体観測《てんたいかんそく》や日時計《ひどけい》に使用《しよう》されたという説《せつ》もあります。いずれも太陽《たいよう》を崇拝《すうはい》したインカの人々《ひとびと》を想像《そうぞう》させます。

データ

造《つく》られたナゾを解《と》く諸説《しょせつ》を紹介《しょうかい》しよう。①敵《てき》であったスペイン人《じん》に対抗《たいこう》する秘密都市《ひみつとし》であった。②ジャングルの民《たみ》と抗争《こうそう》するための軍事施設《ぐんじしせつ》であった。③宗教的《しゅうきょうてき》な目的《もくてき》を達成《たっせい》するために設《もう》けた。これに加《くわ》え「最高《さいこう》の景色《けしき》」があり、太陽《たいよう》に近《ちか》きところであったという理由《りゆう》には説得力《せっとくりょく》があります。

ふしぎクイズ

マチュピチュにはどのくらいの住人《じゅうにん》がいたのでしょうか？ 約《やく》750人《にん》、5000人《にん》以上《いじょう》、10000人《にん》といろいろですが、ここでは山《やま》の斜面《しゃめん》にジャガイモやトウモロコシが栽培《さいばい》されていました。マチュピチュのように、急斜面《きゅうしゃめん》に階段上《かいだんじょう》に作《つく》られた畑《はたけ》をなんというでしょうか？

2ページ前《まえ》のこたえ　宇宙人《うちゅうじん》が関《かか》わっている説《せつ》

慶州《けいしゅう》

「屋根《やね》のない博物館《はくぶつかん》」とも呼《よ》ばれる慶州《けいしゅう》。数多《かずおお》くある古墳群《こふんぐん》は誰《だれ》のお墓《はか》なの？

慶州《けいしゅう》は、新羅王朝《しらぎおうちょう》の都《みやこ》として栄《さか》えた古都《こと》で現在《げんざい》は韓国《かんこく》を代表《だいひょう》する観《かん》光都市《こうとし》。その起源《きげん》は不明《ふめい》ですが、3世紀《せいき》に新羅《しらぎ》の拠点《きょてん》になったといわれています。周辺《しゅうへん》の産地《さんち》から質《しつ》の高《たか》い石《いし》がとれるため、石《いし》の建造物《けんぞうぶつ》や仏像《ぶつぞう》などが多《おお》いのも特徴《とくちょう》。新羅時代《しらぎじだい》の史跡《しせき》のほか、それ以前《いぜん》の時代《じだい》の遺跡《いせき》も数多《かずおお》く見《み》られます。

慶州《けいしゅう》のシンボルとして有名《ゆうめい》なのが、7世紀《せいき》に建《た》てられた瞻星台《せんせいだい》。そのほか、200以上《いじょう》ある古墳《こふん》や、仏教関係《ぶっきょうかんけい》の遺跡《いせき》など、いかに新羅《しらぎ》が栄《さか》えていたのかがわかりますね。

▲約《やく》12万《まん》5400坪《つぼ》もの敷地《しきち》に23基《き》の古墳《こふん》が点在《てんざい》する天馬塚《てんまづか》

これがナゾのこたえだ!

慶州《けいしゅう》にある古墳《こふん》のほとんどが誰《だれ》のものかはナゾのまま。豪華《ごうか》な出土品《しゅつどひん》が多《おお》いので身分《みぶん》の高《たか》い人《ひと》のお墓《はか》という説《せつ》が一般的《いっぱんてき》です。

◀東洋《とうよう》で最古《さいこ》の天文台《てんもんだい》といわれる瞻星台《せんせいだい》。高《たか》さが約《やく》9mで、花崗岩《かこうがん》でつくられてます。361個半《こはん》の石《いし》を積《つ》み上《あ》げており、陰暦《いんれき》の1年《ねん》を表《あらわ》すのだそうです

古墳《こふん》の出土品《しゅつどひん》を集《あつ》めた国立慶州博物館《こくりつけいしゅうはくぶつかん》

慶州《けいしゅう》と周辺地域《しゅうへんちいき》から発見《はっけん》された各種遺《かくしゅい》物《ぶつ》を展示《てんじ》。博物館《はくぶつかん》に入《はい》ってすぐにある聖徳大王神鐘《そんどくでわんしんじょん》は別名《べつめい》エミレの鐘《かね》とも呼《よ》ばれ、数々《かずかず》の伝説《でんせつ》が伝《つた》えられています。

データ

慶州《けいしゅう》には、1995年《ねん》に世界遺産《せかいいさん》に認定《にんてい》された仏国寺《ぶつこくじ》があります。528年《ねん》に建設《けんせつ》されたといわれており、6つの国宝《こくほう》をはじめ、新羅時代《しらぎじだい》の貴重《きちょう》な文化財《ぶんかざい》を展示《てんじ》。16世紀末《せいきまつ》に焼失《しょうしつ》し、1973年《ねん》に復元《ふくげん》されました。

ふしぎクイズ

「エミレの鐘《かね》」と呼《よ》ばれる聖徳大王神鐘《そんどくでわんしんじょん》。幼《おさな》い娘《むすめ》が捧《ささ》げられたという伝説《でんせつ》があり、とけた銅《どう》の中《なか》に入《い》れられるときに「エミレ」と叫《さけ》んだことからこの名《な》がつきました。エミレの意味《いみ》は?

2ページ前《まえ》のこたえ　段々畑《だんだんばたけ》

日本《にほん》の古墳《こふん》

世界《せかい》には王《おう》や君主《くんしゅ》の大《おお》きなお墓《はか》があります。日本《にほん》の〝古墳《こふん》〟も同《おな》じようなものでしょうか?

古墳《こふん》というのは土《つち》を盛《も》り上《あ》げてつくったお墓《はか》のことです。日本《にほん》の古墳時《こふんじ》代《だい》(約《やく》3世紀《せいき》~7世紀《せいき》)には多《おお》くの古墳《こふん》がつくられています。

古墳《こふん》の中《なか》でも大阪府堺市《おおさかふさかいし》にある大《だい》仙古墳《せんこふん》は、仁徳天皇《にんとくてんのう》の墓《はか》として伝《つた》えられています。仁徳陵古墳《にんとくりょうこふん》は前方後円墳《ぜんぽうこうえんふん》で、大《おお》きさは全長《ぜんちょう》486m、総面積《そうめんせき》は47万《まん》㎡でピラミッドや秦《しん》の始皇帝陵《しこうていりょう》より大《おお》きいです。仁徳天皇《にんとくてんのう》は昔《むかし》の大王《だいおう》です。なお天皇《てんのう》という呼《よ》び方《かた》は、飛鳥《あすか》時代《じだい》の終《お》わり頃《ころ》から後《のち》に使《つか》われたものです。

▲仁徳陵古墳《にんとくりょうこふん》、上《うえ》は南《みなみ》から下《した》は南西《なんせい》からの写真《しゃしん》

写真提供《しゃしんていきょう》/堺市博物館《さかいしはくぶつかん》

これがナゾのこたえだ!

古墳時代《こふんじだい》、指導者《しどうしゃ》が権威《けんい》を示《しめ》すために、巨大《きょだい》な古墳《こふん》をつくっています。

古《こ》代《だい》の七《なな》不《ふ》思《し》議《ぎ》

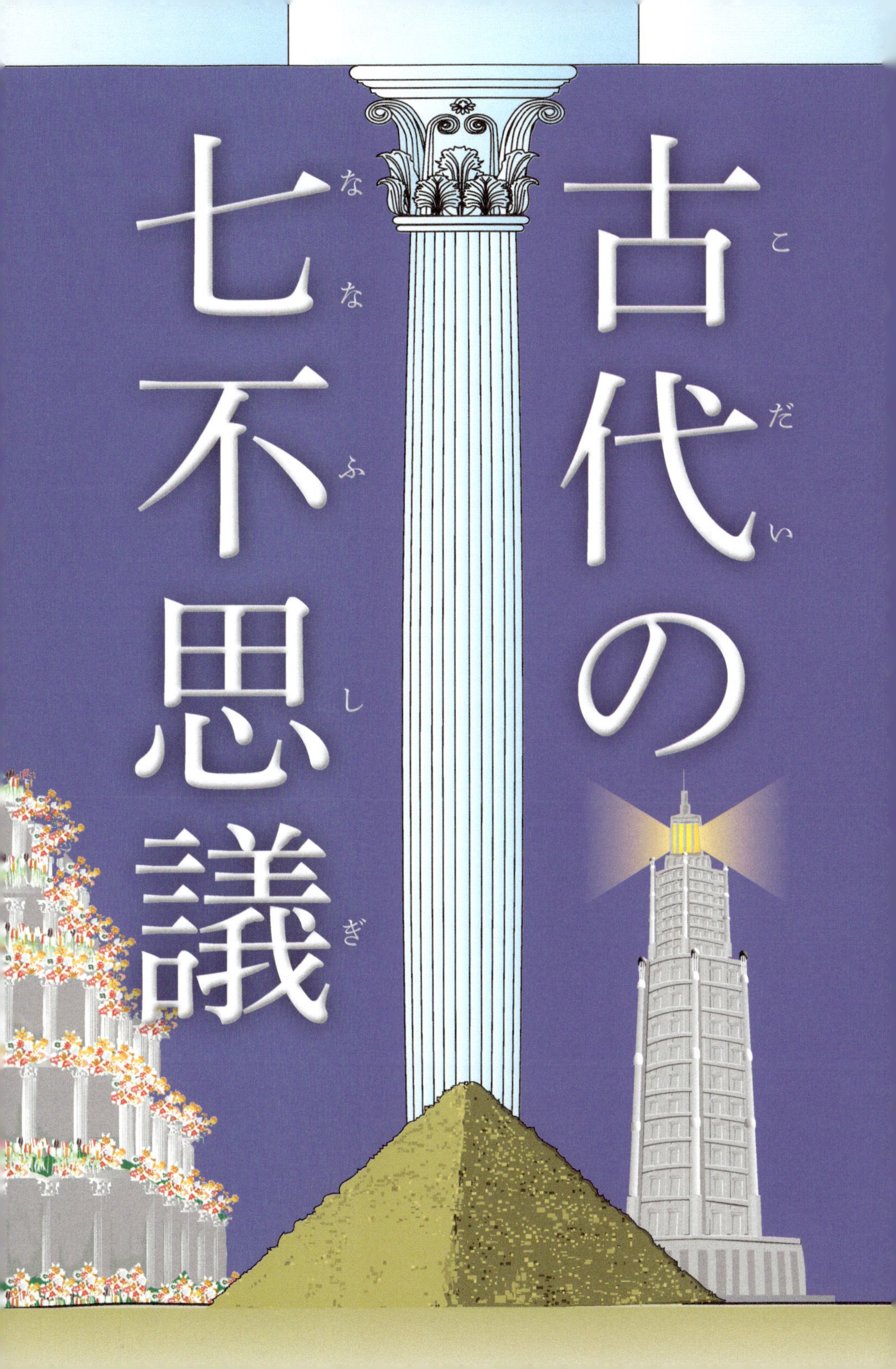

エジプトのピラミッド

世《せ》界《かい》七《なな》不《ふ》思《し》議《ぎ》の代《だい》名《めい》詞《し》といえるピラミッド！何《なん》のためにつくられたのでしょう？

エジプトのシンボル、ピラミッドといえば、だれもが思《おも》い浮《う》かべるのが、ギザの3大《だい》ピラミッド。エジプト古《こ》王国時代《おうこくじだい》、紀元前《きげんぜん》2500年頃《ねんごろ》につくられていて、建設《けんせつ》した王《おう》の名前《なまえ》をとってクフ王《おう》、カフラー王《おう》、メンカウラー王《おう》のピラミッドと呼《よ》ばれています。人力《じんりき》だけでつくりあげた巨大建造物《きょだいけんぞうぶつ》ピラミッド。その大《おお》きさには圧倒《あっとう》されてしまいますが、それと同時《どうじ》に湧《わ》いてくるのが、何《なん》のためにつくられたのかという疑問《ぎもん》です。

ピラミッドは古代《こだい》エジプト文明《ぶんめい》の歴代《れきだい》ファラオのお墓《はか》であり、奴隷《どれい》たちに強制的《きょうせいてき》に重労働《じゅうろうどう》を強《し》いてつくられた…昔《むかし》はこの説《せつ》が有力《ゆうりょく》だと信《しん》じられていましたが、近年《きんねん》の学説《がくせつ》ではまったく異《こと》なる説《せつ》が正《ただ》しいとされています。

その説《せつ》とは、ピラミッドの建築《けんちく》は農閑期《のうかんき》に行《おこな》われた公共事業《こうきょうじぎょう》だったのではないかというものです。農業《のうぎょう》に取《と》り組《く》めない季節《きせつ》、人々《ひとびと》はお金《かね》をかせぐ手段《しゅだん》がなくとても貧乏《びんぼう》になってしまうため、ファラオは人々《ひとびと》に働《はたら》く場《ば》を与《あた》えるためにピラミッドの建設《けんせつ》という場《ば》を用意《ようい》し、労働《ろうどう》の対価《たいか》として報酬《ほうしゅう》を支《し》払《はら》っていたという説《せつ》です。

これがナゾのこたえだ!

農業《のうぎょう》ができない季節《きせつ》に人々《ひとびと》にお金《かね》をかせぐ手段《しゅだん》を与《あた》えるための公共事業《こうきょうじぎょう》だったという説《せつ》が有力《ゆうりょく》です。

▲世界《せかい》で最《もっと》も有名《ゆうめい》な遺跡《いせき》、ギザの3大《だい》ピラミッド。左《ひだり》からメンカウラー王《おう》、カフラー王《おう》、クフ王《おう》のピラミッド

▲ギザの大《だい》スフィンクス。王《おう》の偉大《いだい》さをあらわす神聖《しんせい》な存在《そんざい》としてつくられたと伝《つた》えられています

▲ライオンの体《からだ》、人間《にんげん》の女性《じょせい》の顔《かお》、鷲《わし》の翼《つばさ》を持《も》ったスフィンクス

ふしぎクイズ

ピラミッドのふもとには、ピラミッド付近《ふきん》より出土《しゅつど》した最古《さいこ》の木造船《もくぞうせん》を展示《てんじ》した博物館《はくぶつかん》があります。王《おう》の死後《しご》、天空《てんくう》を往来《おうらい》するために作《つく》られたと考《かんが》えられているこの船《ふね》は何《なん》と呼《よ》ばれているでしょう?

4ページ前《まえ》のこたえ　おかあさん

最《もっと》も大《おお》きいクフ王《おう》のピラミッドの内部《ないぶ》には何《なに》があるのかな?

ギザの3つのピラミッドのうち最大《さいだい》のクフ王《おう》のピラミッド。現在《げんざい》の入口《いりぐち》は、820年《ねん》にアル・マムーンが盗掘《とうくつ》に入《はい》った際《さい》に開《あ》けたものをそのまま使《つか》っています。謎《なぞ》に満《み》ちた建物《たてもの》の内部《ないぶ》は、外《そと》の乾燥《かんそう》とは裏腹《うらはら》にまるで蒸《む》し風呂《ぶろ》のような温度《おんど》と湿度《しつど》の高《たか》さ。

現在《げんざい》、発見《はっけん》されている空間《くうかん》は、女王《じょおう》の間《ま》、大回廊《だいかいろう》、王《おう》の間《ま》、重量軽減《じゅうりょうけいげん》の間《ま》、地下《ちか》の間《ま》。未知《みち》の通路《つうろ》も発見《はっけん》されていますが、ピラミッドの一部《いちぶ》を破《は》壊《かい》しなければ入《はい》れないため、いまのところは未踏《みとう》の空間《くうかん》となっています。

▶最《もっと》も大《おお》きいクフ王《おう》のピラミッドは高《たか》さ139m、底辺《ていへん》は一辺《いっぺん》230mのほぼ正方形《せいほうけい》をなす。各面《かくめん》は正確《せいかく》に東西南北《とうざいなんぼく》を指《さ》し、傾斜《けいしゃ》は51.5度《ど》にもなります

4400年間《ねんかん》、世界一《せかいいち》の高《たか》さだったクフ王《おう》のピラミッド

クフ王《おう》のピラミッドは1889年《ねん》にエッフェル塔《とう》が完成《かんせい》するまで世界《せかい》で最《もっと》も高《たか》い建築物《けんちくぶつ》であったようです。これは約《やく》4400年《ねん》もの間《あいだ》、世界最高《せかいさいこう》に君臨《くんりん》していたことを意味《いみ》します。

これがナゾのこたえだ!

ピラミッドの中《なか》に入《はい》ると、6つの空間《くうかん》があることがわかっていますが、それ以外《いがい》は謎《なぞ》のままです。

▲数々《かずかず》の推測《すいそく》が飛《と》び交《か》うなか、いまだ多《おお》くの謎《なぞ》に包《つつ》まれたピラミッド

▶昔《むかし》からエジプトのピラミッドには不思議《ふしぎ》なパワーが秘《ひ》められているといわれてきました

データ ピラミッドの建築法《けんちくほう》についても、未《いま》だ確《たし》かな答《こた》えは出《で》ていません。以前《いぜん》は重《おも》い石《いし》を木製《もくせい》の装置《そうち》を使《つか》って持《も》ち上《あ》げて重《かさ》ねていったと考《かんが》えられていましたが、現在《げんざい》、有力《ゆうりょく》とされているのは、周辺《しゅうへん》に直線《ちょうくせん》や渦巻《うずま》き状《じょう》のスロープをつくり、高《たか》いところまでソリを使《つか》って運《はこ》んだのではという説《せつ》です。いずれにしろ、これだけ巨大《きょだい》な建築物《けんちくぶつ》を人力《じんりき》のみでつくりあげたのですから、ピラミッドは古代人《こだいじん》の叡智《えいち》とエネルギーの集大成《しゅうたいせい》であることにはかわりありませんね。

ふしぎクイズ

ギリシャ神話《しんわ》にも登場《とうじょう》するスフィンクス。そのなかでスフィンクスが旅人《たびびと》に出《だ》した問題《もんだい》が「朝《あさ》は四本足《よんほんあし》、昼《ひる》は二本足《にほんあし》、夜《よる》は三本足《さんぼんあし》の者《もの》はだれか?」。さてその答《こた》えは何《なん》でしょう?

2ページ前《まえ》のこたえ　太陽《たいよう》の船《ふね》

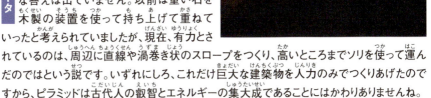

バビロンの空中庭園《くうちゅうていえん》

まるで空中《くうちゅう》から吊《つ》り下《さ》げられている庭園《ていえん》！
バビロンにはそんな空中庭園《くうちゅうていえん》があった!?

現在《げんざい》のイラク南部《なんぶ》・メソポタミア地方《ちほう》にはエジプト文明《ぶんめい》と並《なら》ぶメソポタミア文明《ぶんめい》が栄《さか》えていました。そのメソポタミア地方《ちほう》に栄《さか》えた新《しん》バビロニア帝国《ていこく》の首都《しゅと》バビロンに建設《けんせつ》されたのが「バビロンの空中庭園《くうちゅうていえん》（架空庭園《かくうていえん》）」と呼《よ》ばれた庭園《ていえん》です。

毎日多《まいにちおお》くの水《みず》を必要《ひつよう》とした空中《くうちゅう》庭園《ていえん》には、ユーフラテス河《がわ》からくみ上《あ》げられた水《みず》が、5段《だん》のバルコニー状《じょう》のフロアにある花壇全体《かだんぜんたい》にいきわたるような仕組《しくみ》があったといわれています。大《おお》きな水車《すいしゃ》で水《みず》をくみ上《あ》げたという説《せつ》もあります。

▲バビロンの空中庭園《くうちゅうていえん》には毎日《まいにち》たくさんの水がユーフラテス河《がわ》からくみ上《あ》げられていたと伝《つた》えられています

これがナゾのこたえだ!

重力《じゅうりょく》に逆《さか》らって空中《くうちゅう》に庭園《ていえん》が浮《う》かんでいるのではなく、実際《じっさい》は高台《たかだい》に作《つく》られた庭園《ていえん》だったと伝《つた》えられています。

▲新《しん》バビロニア帝国《ていこく》は紀元前《きげんぜん》538年《ねん》、アケメネス朝《ちょう》ペルシャによって征服《せいふく》されてしまい、廃墟《はいきょ》になってしまいました。空中庭園《くうちゅうていえん》も推定位置《すいていいち》しか判明《はんめい》していません

データ 紀元前《きげんぜん》600年頃《ねんごろ》に新《しん》バビロニア帝国《ていこく》の王《おう》、ネブカドネザル2世《せい》が砂漠《さばく》の国《くに》に嫁入《よめい》りするのを嫌《いや》がるメディア出身《しゅっしん》の王妃《おうひ》アミュティスを慰《なぐさ》めるために建造《けんぞう》。その高《たか》さは25mにも及《およ》んだといわれています。

ふしぎクイズ エジプト文明《ぶんめい》と並《なら》ぶメソポタミア文明《ぶんめい》が栄《さか》えていたメソポタミア地方《ちほう》。この地《ち》で、ユーフラテス河《がわ》とほぼ平行《へいこう》に流《なが》れている川《かわ》は?

2ページ前《まえ》のこたえ　人間《にんげん》(人間《にんげん》は人生《じんせい》の朝《あさ》、つまり赤《あか》ちゃんのころには四《よ》つんばいではい歩《ある》き、昼《ひる》、若《わか》い頃《ころ》には二本足《にほんあし》で歩《ある》き回《まわ》ります。そして夜《よる》、年《とし》をとってくると杖《つえ》をついて歩《ある》くようになるので三本足《さんぼんあし》になるのです)

オリンピアのゼウス像《ぞう》

ナゾの火事《かじ》で焼失《しょうしつ》したと伝《つた》えられるゼウス像《ぞう》。この巨大神像《きょだいしんぞう》はどのようにつくられたのか!?

紀元前《きげんぜん》550年頃《ねんごろ》からギリシアのオリンピアにゼウス神殿《しんでん》の建造《けんぞう》が始《はじ》まりました。ゼウス像《ぞう》は、この神殿《しんでん》の奥《おく》にあったもので、その高《たか》さは台座《だいざ》も含《ふく》め12mもあったと伝《つた》えられています。右手《みぎて》には勝利《しょうり》の女神《めがみ》ニケの像《ぞう》を持《も》ち、左手《ひだりて》には鷲《わし》がとまった杖《つえ》を持《も》った姿《すがた》で座《すわ》っている像《ぞう》だったようです。紀元前《きげんぜん》2世紀頃《せいきごろ》のローマの将軍《しょうぐん》ルキウス・アエミリウス・パウルス・マケドニクスは、マケドニアを征服《せいふく》したときにこの像《ぞう》を見《み》て、その神々《こうごう》しさに感激《かんげき》したと伝《つた》えられています。

▲オリンピアのゼウス像《ぞう》は台座《だいざ》も含《ふく》め12mもあったそうです

これがナゾのこたえだ!

本体《ほんたい》を木《き》でつくり、肌《はだ》の部分《ぶぶん》は象牙《ぞうげ》で、衣服《いふく》の部分《ぶぶん》は黄金《おうごん》を貼《は》り付《つ》けていたようです。

データ 1958年《ねん》にゼウス像《ぞう》の建造《けんぞう》に使用《しよう》されたと考《かんが》えられる工房《こうぼう》が発見《はっけん》され、ゼウス像全《ぞうぜん》容《よう》の解明《かいめい》が進《すす》められました。設計者《せっけいしゃ》は彫刻家《ちょうこくか》フェイディアスで、そのほかにも多《おお》くの作品《さくひん》を手《て》がけていたようです。

ふしぎクイズ 紀元前《きげんぜん》776年《ねん》から393年《ねん》まで開催《かいさい》されたといわれる、ギリシャ全土《ぜんど》やローマ、マケドニアから人々《ひとびと》が集《あつ》まり参加《さんか》したイベントは?

2ページ前《まえ》のこたえ　ティグリス河《がわ》

アルテミス神殿《しんでん》

地上《ちじょう》で神々《かみがみ》が住《す》むただひとつの家《いえ》!? 神殿《しんでん》を見《み》た誰《だれ》もがそう思《おも》ったそうです。

アルテミス神殿《しんでん》はトルコのエフェソスという古代都市《こだいとし》に建《た》っていました。

最初《さいしょ》の神殿《しんでん》は紀元前《きげんぜん》7世紀頃《せいきごろ》に建設《けんせつ》。紀元前《きげんぜん》５５０年頃《ねんごろ》新《あら》たな設計《せっけい》でリディア王《おう》によって建《た》てられましたが、紀元前《きげんぜん》３５６年《ねん》に放火《ほうか》で焼失《しょうしつ》。さらにアレキサンダーの死後《しご》紀元前《きげんぜん》３２３年《ねん》に再建《さいけん》。

この最後《さいご》の神殿《しんでん》は、幅《はば》１１５ｍ、横《よこ》55ｍ、高《たか》さ18ｍ、１２７の柱《はしら》からなる巨大《きょだい》なものでした。神殿内《しんでんない》は芸術性《げいじゅつせい》の高《たか》い、絵画《かいが》や彫刻《ちょうこく》で飾《かざ》られていたそうです。

▲アルテミス神殿《しんでん》のイメージイラスト。現在《げんざい》はトルコのエフェソスに復元《ふくげん》された柱《はしら》が、ポツンと1本残《ほんのこ》っているだけのさみしい風景《ふうけい》になっています

これがナゾのこたえだ!

アルテミス女神《めがみ》のために建《た》てたと伝《つた》えられる神殿《しんでん》。外観《がいかん》は127本《ほん》の柱《はしら》が立《た》ち並《なら》び、内部《ないぶ》は大理石《だいりせき》の板石《いたいし》、金銀《きんぎん》に彩《いろど》られた柱《はしら》など想像《そうぞう》を絶《ぜっ》する〝美《び》〟があったからでしょう。

これはアルテミス像《ぞう》のイラストです。ギリシャ神話《しんわ》のアルテミスはアポロンの双子《ふたご》の妹《いもうと》で、処女神《しょじょしん》、月《つき》の女神《めがみ》とされています。このエフェソスのアルテミスは多数《たすう》の乳房《ちぶさ》をつけた豊饒《ほうじょう》（農作物《のうさくもつ》がよくみのる）・多産《たさん》の女神《めがみ》。2つのアルテミスがあまりにも異《こと》なっているため、そのつながりはわからないままです。

データ

紀元前《きげんぜん》323年《ねん》に再建《さいけん》されたアルテミス神殿《しんでん》は、ローマ皇帝《こうてい》ガリエヌス時代《じだい》の262年《ねん》、ゴート人《じん》の襲撃《しゅうげき》にあい、破壊《はかい》されました。その後《ご》、エフェソスの人々《ひとびと》はキリスト教《きょう》に改宗《かいしゅう》したため、その残骸《ざんがい》は教会《きょうかい》の資材《しざい》に使《つか》われました。なお、アルテミス神殿跡《しんでんあと》が発見《はっけん》されたのは、1869年《ねん》、イギリス人技師《じんぎし》たちの手《て》によるものでした。

ふしぎクイズ

アルテミス神殿《しんでん》への放火《ほうか》は、ヘロストラトスという男《おとこ》が悪事《あくじ》で後世《こうせい》に名《な》を残《のこ》そうと思《おも》い実行《じっこう》しました。この頃《ころ》から犯罪行為《はんざいこうい》や犠牲《ぎせい》を払《はら》っても自分《じぶん》の名前《なまえ》を有名《ゆうめい》にしようとする人《ひと》がいたのです。この放火《ほうか》は紀元前《きげんぜん》、何年《なんねん》にあったでしょう?

2ページ前《まえ》のこたえ　古代《こだい》オリンピック

ハリカルナッソスの霊廟《れいびょう》※

ハリカルナッソスにあったと伝《つた》えられる霊廟《れいびょう》。誰《だれ》が何《なん》のために建《た》てた霊廟《れいびょう》だったのか？

小《しょう》アジアの国《くに》カリア王国《おうこく》の首都《しゅと》、ハリカルナッソス。王《おう》であったマウロソスは紀元前《きげんぜん》4世紀頃《せいきごろ》の領主《りょうしゅ》で、近《ちか》くにある国《くに》を攻撃《こうげき》したりしていました。紀元前《きげんぜん》353年《ねん》マウロソス王《おう》が亡《な》くなり、その霊《れい》をまつるため女王《じょおう》アルテミシアが霊廟《れいびょう》の建設《けんせつ》を始《はじ》めました（実際《じっさい》にはマウロソス王《おう》が生《い》きているうちに建造《けんぞう》は開始《かいし》され、死後《しご》3年《ねん》にあたる紀元前《きげんぜん》350年《ねん》に完成《かんせい》したといわれている）。建設開始後《けんせつかいしご》2年《ねん》で女王《じょおう》も世《よ》を去《さ》り、王《おう》とともに葬《ほうむ》られました。

▲最上部《さいじょうぶ》には4頭建馬車《とうだてばしゃ》とマウロソス王《おう》とアルテミシア女王《じょおう》の彫像《ちょうぞう》が設置《せっち》され、純白《じゅんぱく》の大理石《だいりせき》が使《つか》われていたと伝《つた》えられています。

※先祖《せんぞ》の霊《れい》をまつった建物《たてもの》

これがナゾのこたえだ!

ハリカルナッソスの女王《じょおう》が、亡《な》くなった王《おう》の霊《れい》をまつるためにギリシャの有名《ゆうめい》な建築家《けんちくか》、彫刻家《ちょうこくか》を招《まね》いて建《た》てられたのがハリカルナックスの霊廟《れいびょう》です。

データ

霊廟《れいびょう》の基礎《きそ》は縦《たて》38m、横《よこ》32m、高《たか》さ34mあったと推測《すいそく》されています。1階部分《かいぶぶん》にはギリシャ人《じん》とアマゾン人《じん》の戦《たたか》いの彫刻《ちょうこく》が刻《きざ》まれ、2階《かい》には36本《ほん》のコリント式円柱《しきえんちゅう》が並《なら》び中央《ちゅうおう》に霊室《れいしつ》があったようです。

ふしぎクイズ

19世紀《せいき》になって霊廟《れいびょう》の彫刻部分《ちょうこくぶぶん》や王《おう》と女王《じょおう》の彫像《ちょうぞう》などが発掘《はっくつ》されました。これらの発掘品《はっくつひん》は大英博物館《だいえいはくぶつかん》に運《はこ》ばれ展示《てんじ》されています。さて、大英博物館《だいえいはくぶつかん》があるのはイギリスのどこでしょう?

2ページ前《まえ》のこたえ　356年《ねん》

ロードス島《とう》の巨像《きょぞう》

エーゲ海《かい》の小《ちい》さな島《しま》ギリシャのロードス島《とう》。港《みなと》の入口《いりぐち》をまたぐ巨像伝説《きょぞうでんせつ》は本当《ほんとう》なのかな？

ロードス島《とう》はギリシャにあります。紀元前《きげんぜん》305年《ねん》、マケドニアの侵略《しんりゃく》を撃退《げきたい》した記念《きねん》に、守護神《しゅごしん》の太陽神《たいようしん》ヘリオスをかたどった巨像《きょぞう》がつくられました。これがロードス島《とう》の巨像《きょぞう》です。

材料《ざいりょう》に青銅製《せいどうせい》の武器《ぶき》を使《つか》った巨像《きょぞう》で、台座《だいざ》を含《ふく》め50mあったといわれています。港《みなと》に伸《の》びる左右《さゆう》の防波堤《ぼうはてい》の先端《せんたん》に両足《りょうあし》を乗《の》せ、船《ふね》が巨像《きょぞう》のまたをくぐったというのが伝説《でんせつ》ですが、これが本当《ほんとう》ならば、巨像《きょぞう》がもっと大《おお》きくないと、計算《けいさん》が合《あ》わないようです。

◀この巨像《きょぞう》は紀元前《きげんぜん》227年《ねん》に地震《じしん》によって膝《ひざ》が折《お》れて倒壊《とうかい》。その後再建《ごさいけん》されることはなく、倒《たお》れたまま浜辺《はまべ》に放置《ほうち》されていたようです。なお、ロードス島《とう》は紀元前《きげんぜん》1世紀《せいき》よりローマの支配下《しはいか》となり、その後《ご》もビザンチン（4世紀《せいき》）、サラセン（7世紀《せいき》）、ヴェネチア（11世紀《せいき》）と次々《つぎつぎ》に支配者《しはいしゃ》が変《か》わりました

これがナゾのこたえだ！

紀元前《きげんぜん》305年《ねん》の話《はなし》。像《ぞう》の高《たか》さが33m、台座込《だいざこ》みで50mといわれる巨像《きょぞう》がありました。この大《おお》きさでは港《みなと》をまたぐことは無理《むり》そうなので、あくまで伝説《でんせつ》です。

ギリシャ神話《しんわ》では、アポロンと呼《よ》ばれる太陽神《たいようしん》とこのロードス島《とう》の巨像《きょぞう》となった「ヘリオス」という2つの太陽神《たいようしん》が登《とう》場《じょう》しています。なお、この巨像《きょぞう》は彫刻家《ちょうこくか》カレスによって製作《せいさく》されたといわれています。

データ 7世紀《せいき》、イスラム軍《ぐん》がロードス島《とう》を占領《せんりょう》。この時《とき》、まだ浜辺《はまべ》にあったと考《かんが》えられる巨像《きょぞう》の残骸《ざんがい》は、ユダヤ商人《しょうにん》に売却《ばいきゃく》され、スクラップにされて持《も》ち去《さ》られたそうです。また、1987年《ねん》、巨像《きょぞう》の一部《いちぶ》が沖合《おきあい》700mの海底《かいてい》から発見《はっけん》されたという話《はなし》もあります。

ふしぎクイズ 1970年代《ねんだい》に、巨像《きょぞう》を再建《さいけん》してロードス島《とう》の観光《かんこう》に役立《やくだ》てようという話《はな》し合《あ》いが何回《なんかい》かあったようですが、費用《ひよう》は100万《まん》○○○以上《いじょう》（日本円《にほんえん》で約《やく》1億《おく》2千万円《せんまんえん》）かかると予想《よそう》され、断念《だんねん》したようです。○○○にあたる、EU加盟国共通《かめいこくきょうつう》の貨幣《つうか》の名称《めいしょう》は何《なん》でしょうか？

2ページ前《まえ》のこたえ　ロンドン

アレクサンドリアの大灯台《だいとうだい》

紀元前《きげんぜん》に建《た》てられた巨大《きょだい》な灯台《とうだい》の光《ひかり》。敵《てき》の船《ふね》を燃《も》やすこともできた!?

紀元前《きげんぜん》4世紀《せいき》、アレクサンドロス大王《だいおう》が各地《かくち》につくった都市《とし》が、アレクサンドリア。エジプトの古代《こだい》アレクサンドリアは、当時《とうじ》は世界《せかい》の学問《もん》、文化《ぶんか》、科学《かがく》の中心地《ちゅうしんち》でした。貿易都市《えきとし》としても栄《さか》えており、船《ふね》が入《にゅう》港《こう》するための灯台《とうだい》が必要《ひつよう》でした。そこで、アレクサンドロス大王《だいおう》の後《あと》に王《おう》となったプトレマイオスが、紀元《きげん》前《ぜん》280年頃《ねんごろ》ファロス島《とう》に大灯台《だいとうだい》を建設《けんせつ》したのです。

この灯台《とうだい》は、高《たか》さが134m以上《いじょう》もあり、当時《とうじ》は世界《せかい》で一番高《いちばんたか》い建造《けんぞう》物《ぶつ》だったようです。大理石《だいりせき》を使《つか》い、トリトンの青銅像《せいどうぞう》を取《と》り付《つ》けるなど、紀元前《きげんぜん》に建《た》てられたとは思《おも》えないほどゴージャスだったに違《ちが》いありません。灯台《とうだい》の一番上部《いちばんじょうぶ》に鏡《かがみ》を設置《せっち》し、昼間《ひるま》は日光《にっこう》、夜間《やかん》は油《あぶら》を燃《も》やした炎《ほのお》を反射《はんしゃ》させて海《うみ》を照《て》らしていました。50㎞以上先《いじょうさき》からもこの灯台《とうだい》を確認《かくにん》できたそうです。

14世紀《せいき》に起《お》きた大地震《だいじしん》で、この灯《とう》台《だい》は完全《かんぜん》に崩壊《ほうかい》。その跡地《しきち》にイスラムの城塞《じょうさい》、カイトベイが建《た》てられ、現在《げんざい》まで残《のこ》っています。最近《さいきん》、海中《かいちゅう》から灯台《とうだい》の一部《いちぶ》が見《み》つかって話題《わだい》になっています。

これがナゾのこたえだ!

灯台《とうだい》の光《ひかり》で船《ふね》を燃《も》やしたという伝説《でんせつ》は残《のこ》っていますが、当時《とうじ》の技術力《ぎじゅつりょく》を考《かんが》えるとあくまでも言《い》い伝《つた》えにすぎないようです。

▲当時《とうじ》の最高《さいこう》の技術《ぎじゅつ》を集《あつ》めてつくった大灯台《だいとうだい》。城塞《じょうさい》の役割《やくわり》もあった

灯台《とうだい》の下《した》に財宝《ざいほう》が隠《かく》されていた!?

7世紀《せいき》、灯台《とうだい》はイスラム教徒《きょうと》のサラセン帝国《ていこく》のものになります。しかし、当時《とうじ》対立《たいりつ》していた東《ひがし》ローマ帝国《ていこく》が、灯台《とうだい》の下《した》にたくさんの宝《たから》ものがかくされているというデマを流《なが》したため、灯台《とうだい》は大部分《だいぶぶん》が壊《こわ》されてしまったのです。

データ

アレクサンドリアの大灯台《だいとうだい》は「世界《せかい》の七不思議《ななふしぎ》」として有名《ゆうめい》。「世界《せかい》の七不思議《ななふしぎ》」を最初《さいしょ》に決《き》めた数学者《すうがくしゃ》フィロンはアレクサンドリアに住《す》んでいたため、当時《とうじ》いつも目《め》にしていたこの大灯台《だいとうだい》を「世界《せかい》の七不思議《ななふしぎ》」のリストに入《い》れなかったのだそうです。

ふしぎクイズ

古代世界《こだいせかい》の学問《がくもん》の中心《ちゅうしん》だったアレクサンドリア。幾何学《きかがく》のエウクレイデス、数学者《すうがくしゃ》のアルキメデスなど、数々《かずかず》の有名《ゆうめい》な学者《がくしゃ》が登場《とうじょう》します。灯台《とうだい》と並《なら》び世界最大《せかいさいだい》といわれたアレクサンドリアの建造物《けんぞうぶつ》はなんでしょう?

2ページ前《まえ》のこたえ　ユーロ(1ユーロ、約《やく》140円《えん》、2023年《ねん》1月現在《がつげんざい》)

世界《せかい》の
七不思議《ななふしぎ》
マップ
ハリカルナッソスの霊廟《れいびょう》
黒海《こっかい》
トルコ
カスピ海《かい》
アジア
イラク
バビロンの空中庭園《くうちゅうていえん》
ロードス島《とう》の
巨像《きょぞう》
インド洋《よう》

ヨーロッパ
アルテミス神殿《しんでん》
オリンピアのゼウス像《ぞう》
ギリシャ
地中海《ちちゅうかい》
アレクサンドリアの大灯台《だいとうだい》
エジプト
エジプトのピラミッド
アフリカ

古代《こだい》の七不思議《ななふしぎ》のはじまり

古代《こだい》の七不思議《ななふしぎ》を紹介《しょうかい》したのは、紀元前《きげんぜん》200年頃《ねんごろ》の古代《こだい》ギリシャの数学者《すうがくしゃ》フィロンです。

古代《こだい》ギリシャのビザンチウムの数学者《すうがくしゃ》フィロンは、旅先《たびさき》で見《み》た素晴《すば》らしい建造物《けんぞうぶつ》を「世界《せかい》の七《なな》つの景観《けいかん》」という本《ほん》に書《か》きました。これが「世界七《せかいなな》不思議《ふしぎ》」のはじまりとされています。

この本《ほん》のエピソードとして、「アレクサンドリアの大灯台《だいとうだい》」は七不思議《ななふしぎ》に選《えら》ばれていません。フィロンの七不思議《ななふしぎ》には「バビロンの城壁《じょうへき》」が選《えら》ばれています。「バビロンの城壁《じょうへき》」は空中庭園《くうちゅうていえん》のあった、バビロニア帝国《ていこく》の首都《しゅと》バビロンを囲《かこ》む大城壁《だいじょうへき》で、周囲約《しゅういやく》85㎞、高《たか》さは50ｍ～90ｍもあったとされています。これは古代《こだい》オリエント都市《とし》の空前《くうぜん》のスケールを物語《ものがた》るものです。

なお、古代《こだい》の七不思議《ななふしぎ》のなかで現存《げんぞん》するのは、唯一《ゆいいつ》「ギザのピラミッド」だけです。この古代《こだい》の七不思議《ななふしぎ》に代《か》わる「新《しん》・世界《せかい》の七不思議《ななふしぎ》」が2007年《ねん》に選出《せんしゅつ》され、続《つづ》いて2011年《ねん》には「新《しん》・世界《せかい》の七不思議《ななふしぎ》自然版《しぜんばん》」が、2014年《ねん》には「新《しん》・世界《せかい》の七不思議《ななふしぎ》都市版《としばん》」の選出《せんしゅつ》が行《おこな》われました。

※フィロンという名前《なまえ》は、古代《こだい》アレキサンドリアで活躍《かつやく》したユダヤ人哲学者《じんてつがくしゃ》と同《おな》じ名前《なまえ》です。多《おお》くの著書《ちょしょ》を残《のこ》しており、紀元元年前後《きげんがんねんぜんご》に活躍《かつやく》したとされています。

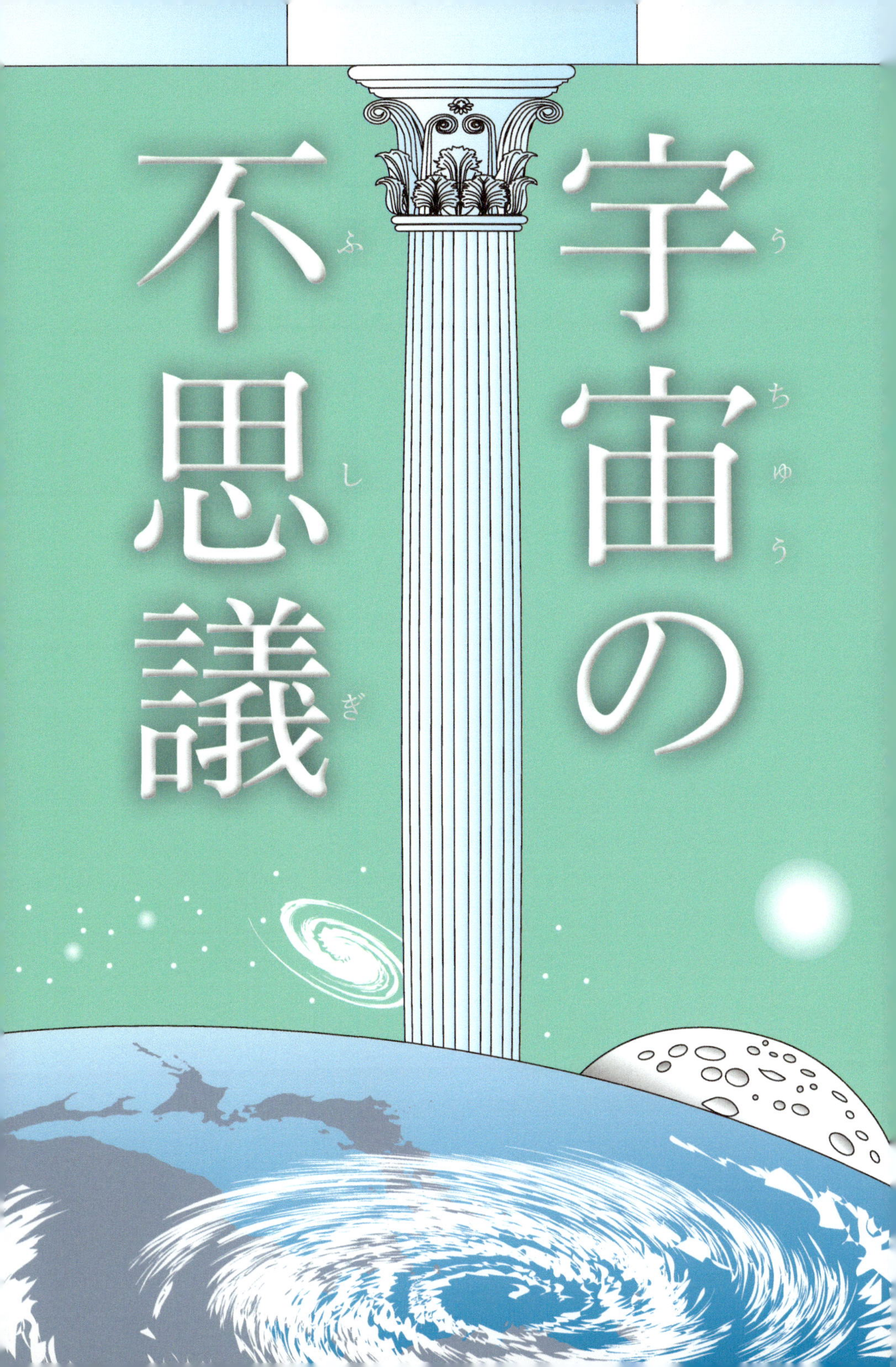
宇宙《うちゅう》の不思議《ふしぎ》

ＵＦＯ（未確認飛行物体《みかくにんひこうぶったい》）

空《そら》飛《と》ぶ円盤《えんばん》（flying saucer）と呼《よ》ばれるようになったのは、いつから、だれが名《な》づけたの？

１９４７年《ねん》、ケネス・アーノルドがＵＦＯを、「まるで飛行《ひこう》するお皿《さら》のようだった」と証言《しょうげん》し、空《そら》飛《と》ぶ円盤《えんばん》という言葉《ことば》が生《う》まれましたが、同年《どうねん》７月《がつ》にはＵＦＯ関連事件《かんれんじけん》の歴史上最《れきしじょうもっと》も有名《ゆうめい》な事件《じけん》、ロズウェル事件《じけん》が起《お》きました。これはニューメキシコ州《しゅう》ロズウェル付近《ふきん》に墜落《ついらく》したＵＦＯが米軍《べいぐん》により回収《かいしゅう》されたという事件《じけん》で、後《のち》に軍《ぐん》は否定《ひてい》しています。

１９５５年《ねん》には「空《そら》飛《と》ぶ円盤同乗記《えんばんどうじょうき》」が出版《しゅっぱん》され、著者《ちょしゃ》のジョージ・アダムスキーは世界中《せかいじゅう》で注目《ちゅうもく》され、数々《かずかず》の講演《こうえん》をしてまわります。彼《かれ》の著作《ちょさく》はベストセラーになり、宇宙人《うちゅうじん》と会見《かいけん》したコンタクティーの元祖《がんそ》としても有名《ゆうめい》になりました。彼《かれ》の撮影《さつえい》したＵＦＯはアダムスキータイプと呼《よ》ばれる空《そら》飛《と》ぶ円盤《えんばん》の典型的《てんけいてき》なイメージになりました。アダムスキーは世界中《せかいじゅう》の空《そら》飛《と》ぶ円盤信奉者《えんばんしんぽうしゃ》から支持《しじ》されながらも、うそだと批判《ひはん》され冷笑《れいしょう》の対象《たいしょう》にもなっていました。

▶米国《べいこく》ニュージャージー州《しゅう》で１９５２年《ねん》に撮影《さつえい》されたＵＦＯの写真

Roswell Daily Record

RAAF Captures Flying Saucer On Ranch in Roswell Region

Claims Army Is Stacking Courts Martial

House Passes Tax Slash by Large Margin

Security Council Paves Way to Talks On Arms Reductions

No Details of Flying Disk Are Revealed

Some of Soviet Satellites May Attend Paris Meeting

Miners and Operators Sign Highest Wage Pact in History

▲1947年《ねん》7月《がつ》8日《か》に発刊《はっかん》された「ロズウェル・デイリー・レコード」。空《そら》飛《と》ぶ円盤《えんばん》の捕獲《ほかく》を報道《ほうどう》

これがナゾのこたえだ!

1947年《ねん》にアメリカの実業家《じつぎょうか》、ケネス・アーノルドが米《べい》・西海岸《にしかいがん》で小型《こがた》プロペラ機《き》の飛行中《ひこうき》に輝《かがや》く物体《ぶったい》を目撃《もくげき》しそう呼《よ》びました。

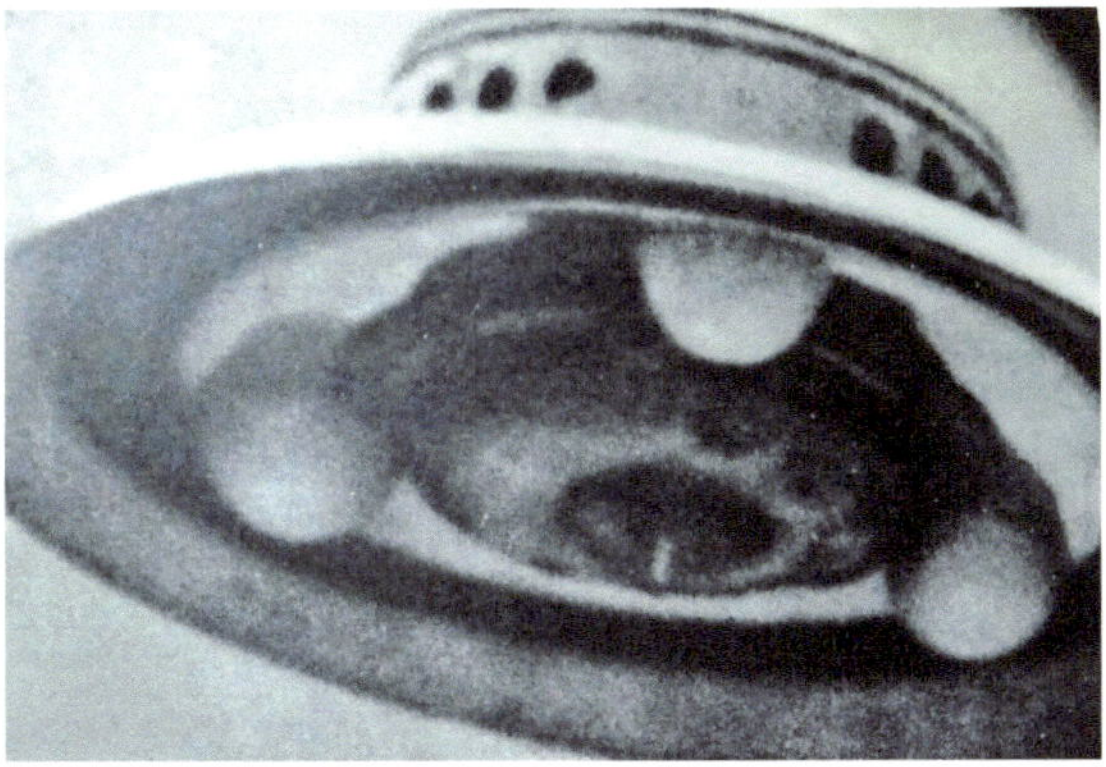

▲トリック撮影《さつえい》だという説《せつ》もあるアダムスキー提供《ていきょう》のアダムスキータイプUFOの写真《しゃしん》

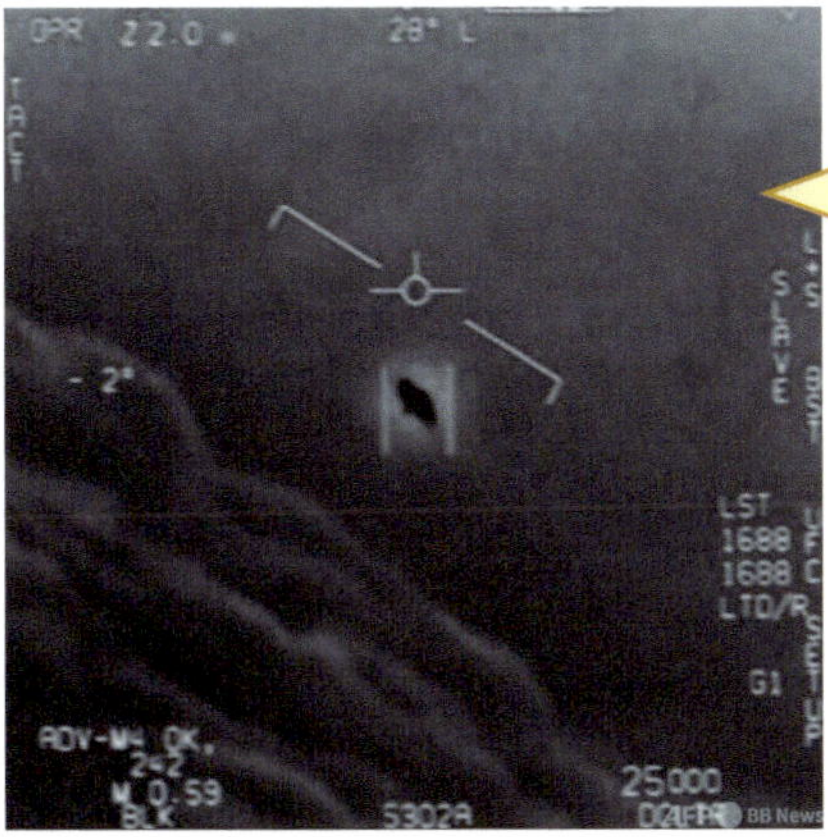

米国防総省《べいこくぼうそうしょう》が2020年《ねん》に米海軍《べいかいぐん》の航空機《こうくうき》が撮影《さつえい》したUFOの映像《えいぞう》を公式《こうしき》に公開《こうかい》しました。その後《ご》米軍《べいぐん》によるUFO目撃証言《もくげきしょうげん》が500件以上集《けんいじょうあつ》まり、そのうち100件《けん》以上《いじょう》の目撃情報《もくげきじょうほう》が説明《せつめい》のつかないままだと米国家情報担当《べいこっかじょうほうたんとう》はコメントしています。

データ ロズウェル事件《じけん》のUFO残《ざん》がいと異星人《いせいじん》の遺体《いたい》が収容《しゅうよう》されたといううわさで有名《ゆうめい》になったのがネバダ州《しゅう》レイチェルに位置《いち》する米空軍《べいくうぐん》ネリス試験訓練場内《しけんくんれんじょうない》の「エリア51」です。現在《げんざい》はUFOを見《み》ようと多《おお》くの観光客《かんこうきゃく》が訪《おとず》れています。

ふしぎクイズ 「月《つき》の裏側《うらがわ》で谷《たに》や都市《とし》、草原《そうげん》を走《はし》る動物《どうぶつ》を宇宙船《うちゅうせん》に乗《の》って見《み》た」というアダムスキーの発言《はつげん》は現代《げんだい》の観測結果《かんそくけっか》と大《おお》きく異《こと》なります。初《はつ》の月面着陸《げつめんちゃくりく》を成功《せいこう》させたのはアポロ何号《なんごう》でしょう。

6ページ前《まえ》のこたえ　図書館《としょかん》

地球《ちきゅう》と月《つき》の関係《かんけい》

地上《ちじょう》から月《つき》の裏側《うらがわ》を見《み》た人《ひと》は一人《ひとり》もいない。そのわけは？ 宇宙船《うちゅうせん》に乗《の》れば見《み》られるのかな。

日本《にほん》では、満月《まんげつ》にはウサギが餅《もち》つきをしているように見《み》えるのが月《つき》の姿《すがた》ですね。ウサギが餅《もち》つきをしているわけはないので、あれは月《つき》の表面《ひょうめん》がでこぼこで、光《ひかり》の当《あ》たるところと光《ひかり》の影《かげ》の部分《ぶぶん》があって、それがウサギの餅《もち》つきの姿《すがた》に見《み》えることはわかっていますね。古《ふる》くからの言《い》い伝《つた》えですから、ずっとあの姿《すがた》を見《み》ていた、ということになります。つまり「月《つき》はいつも同《おな》じ姿《すがた》を地球《ちきゅう》に向《む》けている」ということですよね。

では、月《つき》の後《うし》ろ姿《すがた》はどうして見《み》えないのでしょうか？まるで、だれかがわざと正面《しょうめん》だけを見《み》えるように細工《さいく》をしているようです。月《つき》の正面《しょうめん》にカメラを置《お》いておくと24時間《じかん》地球《ちきゅう》を見《み》ることができるのです。とても偶然《ぐうぜん》とは思《おも》えません。どうなっているのでしょう。

そのわけは、公転《こうてん》と自転《じてん》が関係《かんけい》しています。公転《こうてん》とは、月《つき》の場合《ばあい》は地球《ちきゅう》の周《まわ》りを回《まわ》ることで、自転《じてん》は月自体《つきじたい》が回《まわ》ることです。月《つき》は自転《じてん》しながら公転《こうてん》もしています。自転《じてん》の周期《しゅうき》と公転《こうてん》の周期《しゅうき》の偶然《ぐうぜん》の一致《いっち》で、地球《ちきゅう》にいつも同《おな》じ面《めん》を向《む》けているのです。

これがナゾのこたえだ!

月《つき》は公転《こうてん》と自転《じてん》の周期《しゅうき》が、偶然《ぐうぜん》同《おな》じなので、地球《ちきゅう》からは同《おな》じ面《めん》しか見《み》えないのです。

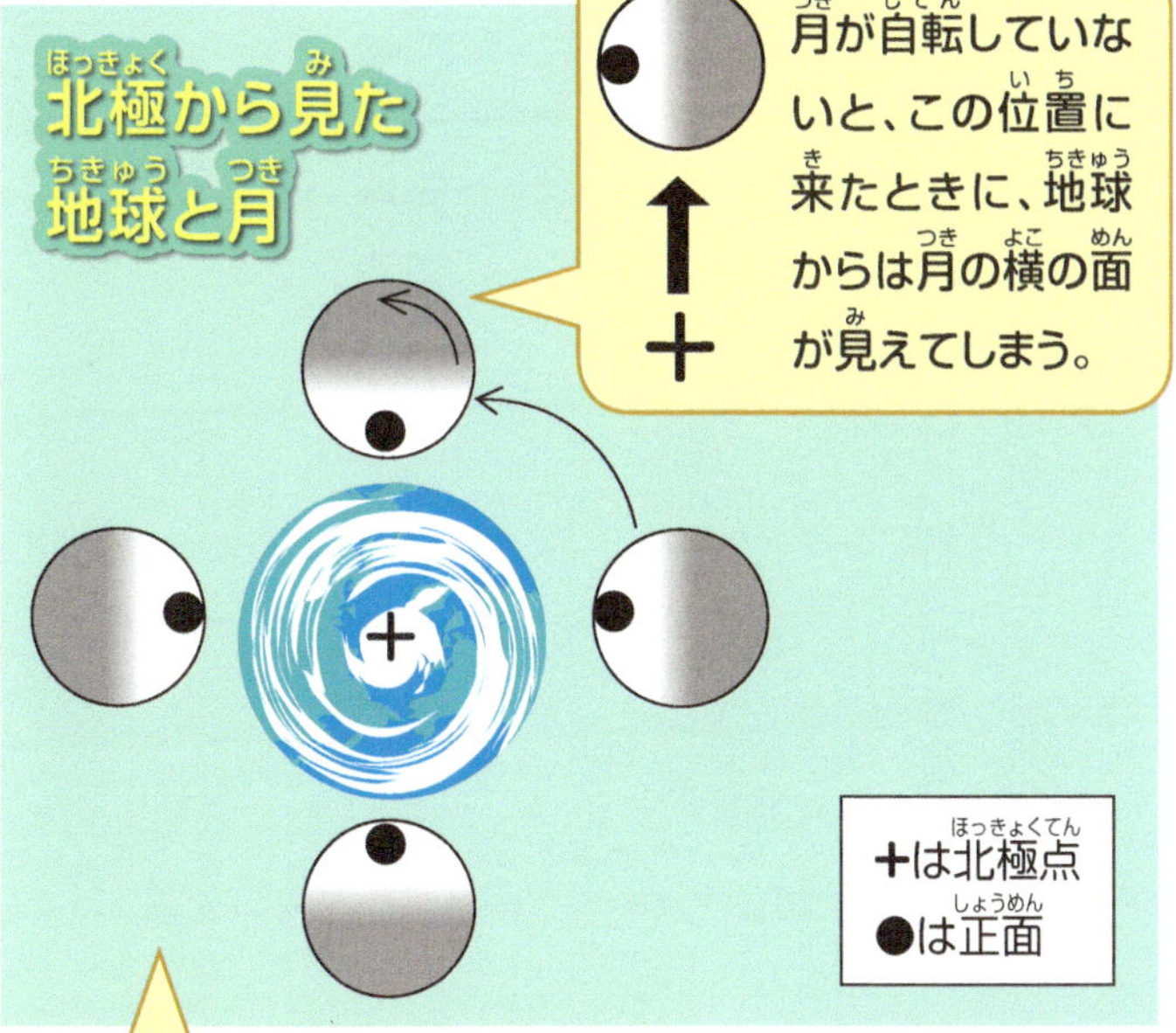

月《つき》が自転《じてん》していないと、この位置《いち》に来《き》たときに、地球《ちきゅう》からは月《つき》の横《よこ》の面《めん》が見《み》えてしまう。

月《つき》が地球《ちきゅう》を1周《しゅう》、つまり公転《こうてん》すると、正面《しょうめん》を地球《ちきゅう》に向《む》け続《つづ》けるためには、月《つき》も1周自転《しゅうじてん》していなければなりません。ということは、月《つき》の正面《しょうめん》からはたえず地球《ちきゅう》が見《み》えていることになりますね。

月《つき》から見《み》た地球《ちきゅう》▶

データ

地球《ちきゅう》から月《つき》までの距離《きょり》は38万《まん》km。半径《はんけい》1738km（地球《ちきゅう》のおよそ1/4）です。重力《じゅうりょく》は地球《ちきゅう》の1/6。27.3日《にち》で1周《しゅう》。でも、満月《まんげつ》から満月《まんげつ》までは29.5日《にち》。この差《さ》は、月《つき》が地球《ちきゅう》を1周《しゅう》する間《あいだ》に地球《ちきゅう》も27.3日分太陽《にちぶんたいよう》の周《まわ》りを回《まわ》ってしまうために生《う》まれるものです。

ふしぎクイズ

NASA《ナサ》は、人類初《じんるいはつ》の月面探査船《げつめんたんさせん》アポロ11号《ごう》を1969年《ねん》7月《つき》に発射《はっしゃ》しました。無事月《ぶじつき》に到着《とうちゃく》。人類初《じんるいはつ》めての月面着陸《げつめんちゃくりく》に成功《せいこう》しました。これ以降《いこう》、アポロは何度月着陸《なんどつきちゃくりく》に成功《せいこう》したでしょうか?

2ページ前《まえ》のこたえ　11号

太陽系《たいようけい》

地球《ちきゅう》が太陽系《たいようけい》の一《ひと》つの惑星《わくせい》と知《し》ってびっくり！太陽系《たいようけい》を構成《こうせい》している天体《てんたい》ってなんですか？

太陽系《たいようけい》とは、太陽《たいよう》を中心《ちゅうしん》として運行《うんこう》している天体《てんたい》の集団《しゅうだん》で、次《つぎ》の4つに区分《くぶん》されます。

太陽系《たいようけい》の「惑星《わくせい》」は、私《わたし》たちが住《す》む地球《ちきゅう》を含《ふく》め8個《こ》あり、太陽《たいよう》から近《ちか》い順《じゅん》に、水星《すいせい》、金星《きんせい》、地球《ちきゅう》、火星《かせい》、木星《もくせい》、土星《どせい》、天王星《てんのうせい》、海王星《かいおうせい》と名前《なまえ》がつけられています。

「衛星《えいせい》」は、これらの惑星《わくせい》のまわりを回《まわ》る天体《てんたい》で、月《つき》は地球《ちきゅう》の衛星《えいせい》です。水星《すいせい》と金星《きんせい》だけは衛星《えいせい》を持《も》っていません。土星《どせい》の衛星《えいせい》の数《かず》は50以上《いじょう》といわれ、最多《さいた》です。

「小惑星《しょうわくせい》」は、ほとんどが火星《かせい》と木星《もく》の軌道《きどう》の間《あいだ》にあり、太陽《たいよう》のまわりを公転《こうてん》している無数《むすう》の小《ちい》さな天体《てんたい》です。これまでに発見《はっけん》されている小惑星《しょうわくせい》は約《やく》5000個《こ》以上《いじょう》あります。

「彗星《すいせい》」は、長《なが》い尾《お》を持《も》った美《うつく》しい天体《てんたい》です。彗星《すいせい》には決《き》まった周期《しゅうき》で太《たい》陽《よう》のまわりを回《まわ》っている周期彗星《しゅうきすいせい》（ハレー彗星《すいせい》など）のほかに、太陽系《たいようけい》の外《そと》からやってきて太陽《たいよう》の近《ちか》くを通《とお》り、また太陽《たいよう》の外《そと》へ去《さ》っていくものがあります。

これがナゾのこたえだ!

太陽《たいよう》のまわりにある天体《てんたい》は、8つの惑《わく》星《せい》、衛星《えいせい》、小惑星《しょうわくせい》、彗星《すいせい》などです。これらをまとめて太陽系《たいようけい》といいます。

▲8つの惑星《わくせい》の大《おお》きさはほぼこういう比率《ひりつ》になります

太陽系惑星《たいようけいわくせい》の中《なか》で一番大《いちばんおお》きいのが木星《もくせい》。土星《どせい》は二番目《にばんめ》に大《おお》きく、円盤《えんばん》のように見《み》える輪《わ》は、氷《こおり》や岩石《がんせき》のつぶの集《あつ》まりです。

データ

金星《きんせい》はヴィーナス、木星《もくせい》はジュピターなど、惑星《わくせい》にはギリシャ神話《しんわ》の神々《かみがみ》の名前《なまえ》がつけられています。金星《きんせい》や木星《もくせい》などの日本語《にほんご》の名前《なまえ》は古代中国《こだいちゅうごく》で考《かんが》えられた五行説《ごぎょうせつ》によります。なお、天王星《てんのうせい》、海王星《かいおうせい》、冥王星《めいおうせい》は神々《かみがみ》の名前《なまえ》を訳《やく》したものです。

ふしぎクイズ

太陽《たいよう》から一番近《いちばんちか》い惑星《わくせい》である水星《すいせい》までの距離《きょり》は0.39天文単位《てんもんたんい》(※)、約《やく》6000万《まん》kmです。光《ひかり》の速《はや》さ(秒速《びょうそく》30万《まん》km)で何秒《なんびょう》くらいかかるでしょう?

※天文単位《てんもんたんい》=長《なが》さを表《あらわ》す単位《たんい》で、1天文単位《てんもんたんい》は地球《ちきゅう》から太陽《たいよう》までの平均距離約《へいきんきょりやく》1億《おく》5000万《まん》kmです。

2ページ前《まえ》のこたえ　6回《かい》

“地球《ちきゅう》”はいつ生《う》まれたの？ 金星《きんせい》や火星《かせい》には生物《せいぶつ》は住《す》めないのかな？

地球《ちきゅう》は今《いま》から約《やく》46億年前《おくねんまえ》に誕生《たんじょう》したといわれています。「水《みず》の惑星《わくせい》」、「生命《せいめい》の星《ほし》」と呼《よ》ばれる、太陽系第《たいようけいだい》三惑星《さんわくせい》・地球《ちきゅう》はどのようにして生《う》まれたのでしょう。

地球《ちきゅう》が生《う》まれた頃《ころ》、大気中《たいきちゅう》の水蒸気《すいじょうき》はマグマによって蒸発《じょうはつ》していました。温度《おんど》の低下《ていか》によって地表《ちひょう》に届《とど》く最初《さいしょ》の雨《あめ》が降《ふ》ることで、地表《ちひょう》は冷《ひ》やされ、大気中《たいきちゅう》の水蒸気《すいじょうき》が一気《いっき》に雨《あめ》として降《ふ》り注《そそ》ぎました。こうして数百年《すうひゃくねん》から数千年《すうせんねん》足《た》らずで、生命《せいめい》の源《みなもと》となる海《うみ》ができあがったとされています。

なお、地球以外《ちきゅういがい》の惑星《わくせい》では生命《せいめい》の存在《そんざい》は確認《かくにん》されていません。

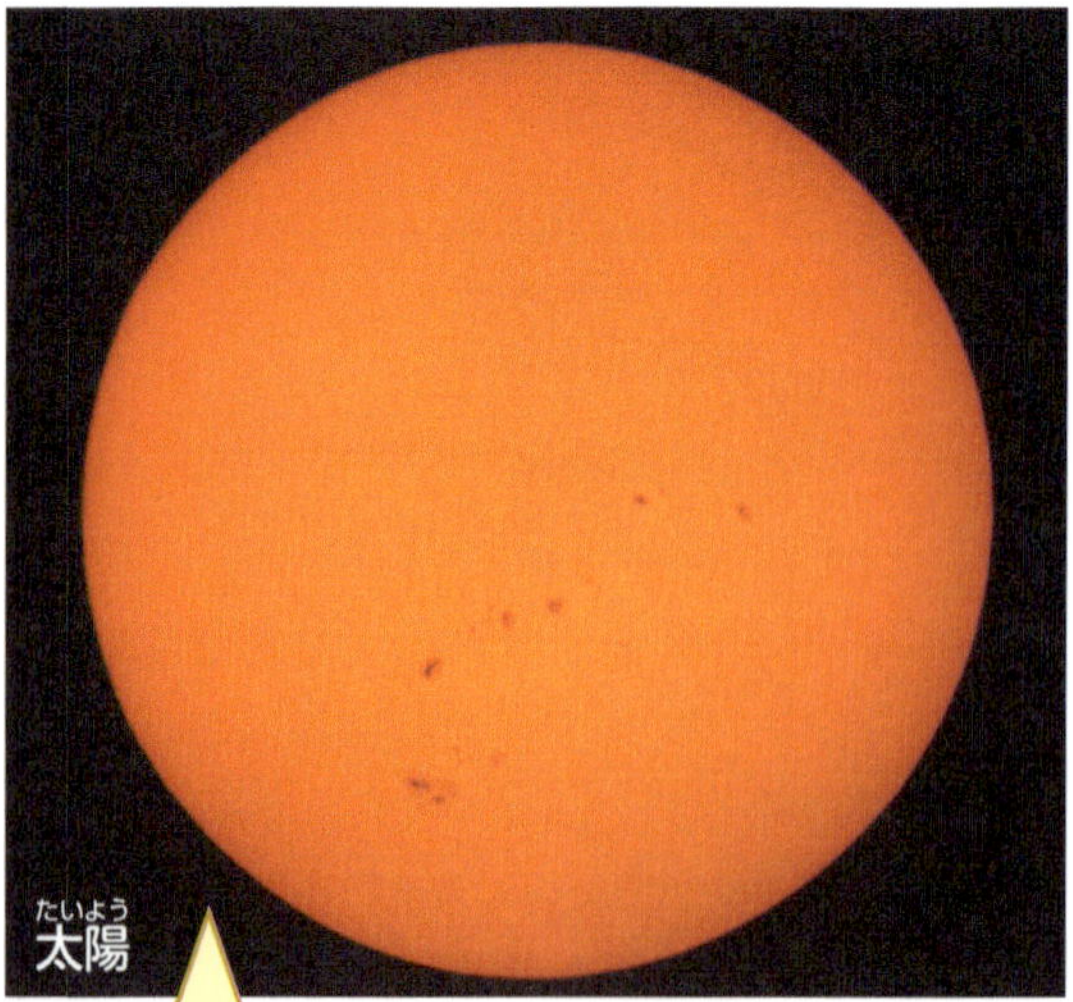

太陽《たいよう》

太陽系《たいようけい》の最大《さいだい》の天体《てんたい》は、恒星《こうせい》といわれる「太陽《たいよう》」。その直径《ちょっけい》は約《やく》140万《まん》㎞（地球《ちきゅう》の直径《ちょっけい》は約《やく》1.3万《まん》㎞）で中心《ちゅうしん》の温度《おんど》は約《やく》1500万度《まんど》、表面温度《ひょうめんおんど》でも約《やく》6000度《ど》もあります。この太陽《たいよう》エネルギーは中心核《ちゅうしんかく》で核融合反応《かくゆうごうはんのう》によってつくられています。

これがナゾのこたえだ!

地球《ちきゅう》が生《う》まれたのは、太陽系《たいようけい》の誕生《たんじょう》と同《おな》じ、今《いま》から約《やく》46億《おく》年前《ねんまえ》です。金星《きんせい》は生物《せいぶつ》が住《す》める環境《かんきょう》ではないと推測《すいそく》され、火星《かせい》は現在《げんざい》も探索中《たんさくちゅう》です。

火星《かせい》

写真《しゃしん》は火星《かせい》。地球《ちきゅう》を除《のぞ》けば、火星《かせい》は太陽系《たいようけい》で人類《じんるい》の居住先《きょじゅうさき》として最《もっと》も有力視《ゆうりょくし》されることになるでしょう。火星《かせい》には山《やま》があり、水《みず》が地表面《ちひょうめん》に存在《そんざい》していたと考《かんが》えられる浸食作用《しんしょくさよう》の跡《あと》もあります。なお、金星《きんせい》の大気《たいき》はほとんど二酸化炭素《にさんかたんそ》で、温室効果《おんしつこうか》が激《はげ》しく、地表《ちひょう》は460度《ど》という灼熱地獄《しゃくねつじごく》になっているようです。

データ

46億年《おくねん》の地球《ちきゅう》の歴史《れきし》を1週間《しゅうかん》に置《お》き換《か》えてみました。46億年前《おくねんまえ》が日曜日《にちようび》の0時《じ》0分《ふん》0秒《びょう》とすると、月《げつ》、火《か》、水《すい》、木《もく》、金《きん》と過《す》ぎ、土曜日《どようび》の午後《ごご》11時《じ》58分《ふん》54秒《びょう》が50万年前《まんねんまえ》となり北京原人《ぺきんげんじん》が出現《しゅつげん》。地球《ちきゅう》の歴史《れきし》が1週間《しゅうかん》なら、人類《じんるい》の歴史《れきし》は1秒《びょう》ちょっとです。

ふしぎクイズ

2003年《ねん》、シュミット望遠鏡《ぼうえんきょう》で撮影《さつえい》された天体《てんたい》は、太陽《たいよう》から97天文単位《てんもんたんい》、約《やく》145億《おく》kmの彼方《かなた》にあるとされています。もしこの天体《てんたい》が惑星《わくせい》だとしたら第何番目《だいなんばんめ》の惑星《わくせい》になるでしょう?

2ページ前《まえ》のこたえ　約《やく》200秒《びょう》

宇宙《うちゅう》・天《あま》の川《がわ》

織姫《おりひめ》と彦星《ひこぼし》のロマンチックな伝説《でんせつ》が残《のこ》る天《あま》の川《がわ》。夜空《よぞら》に見《み》える天《あま》の川《がわ》っていったい何《なん》のことなの？

夜空《よぞら》にはたくさんの星《ほし》が見《み》えます。これらは、宇宙《うちゅう》のなかのどこにでもあるのではなく、銀河《ぎんが》と呼《よ》ばれる集団《しゅうだん》をつくっています。私《わたし》たちの住《す》む地球《ちきゅう》も銀河系《ぎんがけい》という一《ひと》つの銀河《ぎんが》に含《ふく》まれているのです。銀河《ぎんが》一《ひと》つひとつのなかには、数千万《すうせんまん》から数兆《すうちょう》個《こ》の星《ほし》が集《あつ》まっています。銀河系《ぎんがけい》には約《やく》2000億個《おくこ》の星《ほし》があるといわれています。

宇宙全体《うちゅうぜんたい》では1000億個《おくこ》の銀河《ぎんが》があると考《かんが》えられています。この銀《ぎん》河《が》がいくつか集《あつ》まって銀河団《ぎんがだん》というグループをつくっているのです。

さまざまな銀河《ぎんが》の形《かたち》をはじめて分《ぶん》類《るい》したのは、アメリカのエドウィン・ハッブルです。ハッブルは、自分《じぶん》の観《かん》測《そく》をもとに、1926年《ねん》「銀河《ぎんが》の音叉《おんさ》型分類《がたぶんるい》」のなかで、銀河《ぎんが》を見《み》かけ上《じょう》の形《かたち》にしたがって「楕円型《だえんがた》」「レンズ型《がた》」「渦巻《うずま》き型《がた》」、その仲間《なかま》の「棒渦巻《ぼううずま》き型《がた》」、そのほかの「不規則型《ふきそくがた》」の5種《しゅ》類《るい》に分類《ぶんるい》しました。現在《げんざい》ではこの分類《ぶんるい》に「中間型《ちゅうかんがた》」を加《くわ》えた6種類《しゅるい》に大《おお》きく分類《ぶんるい》されています。地球《ちきゅう》が属《ぞく》する銀河《ぎんが》系《けい》は「渦巻《うずま》き銀河《ぎんが》」に分類《ぶんるい》されます。

これがナゾのこたえだ!

天《あま》の川《がわ》は私《わたし》たちが住《す》む地球《ちきゅう》が属《ぞく》している銀河《ぎんが》を、その銀河《ぎんが》の中《なか》から見《み》た姿《すがた》なのです。

◀銀河系《ぎんがけい》の中心部《ちゅうしんぶ》。中心《ちゅうしん》からわずか10光年《こうねん》の範囲《はんい》の巨大《きょだい》な星々《ほしぼし》やガスが高速《こうそく》で飛《と》び回《まわ》る渦巻《うずま》き構造《こうぞう》を形成《けいせい》しています

▶銀河同士《ぎんがどうし》の衝突《しょうとつ》。銀河《ぎんが》の中《なか》で星《ほし》と星《ほし》は非常《ひじょう》に離《はな》れているので衝突《しょうとつ》することはほとんどありませんが、銀河同士《ぎんがどうし》の衝突《しょうとつ》はよく起《お》こります

▲かみのけ座《ざ》の渦巻《うずま》き銀河《ぎんが》。この形《かたち》の銀河《ぎんが》の中《なか》では最《もっと》も有名《ゆうめい》な銀河《ぎんが》です

▼銀河系《ぎんがけい》の外《そと》にあり、銀河系《ぎんがけい》と同《おな》じ仲間《なかま》。銀河系《ぎんがけい》の仲間《なかま》のなかでは一番近《いちばんちか》い星雲《せいうん》で、230万光年《まんこうねん》離《はな》れたところにあります

M31,アンドロメダ星雲《せいうん》

データ 私《わたし》たちの住《す》む地球《ちきゅう》が属《ぞく》する銀河系《ぎんがけい》は、アンドロメダ銀河《ぎんが》、大小《だいしょう》マゼラン群《ぐん》とともに局部銀河群《きょくぶぎんがぐん》と呼《よ》ばれる銀河群《ぎんがぐん》をつくっています。そして局部銀河群《きょくぶぎんがぐん》は「おとめ座銀河団《ざぎんがだん》」をリーダーとして「おとめ座超銀河団《ざちょうぎんがだん》」という集団《しゅうだん》のなかに属《ぞく》しているのです。

ふしぎクイズ

1610年《ねん》、ある有名《ゆうめい》な科学者《かがくしゃ》が自作《じさく》の望遠鏡《ぼうえんきょう》で「天《あま》の川《がわ》」がたくさんの星《ほし》の集《あつ》まりであることを確認《かくにん》しました。実《じつ》は、この「天《あま》の川《がわ》」が私《わたし》たちの住《す》む銀河系《ぎんがけい》の一部分《いちぶぶん》の姿《すがた》なのですが、この科学者《かがくしゃ》とは一体《いったい》だれでしょう?

2ページ前《まえ》のこたえ　9番目《ばんめ》

宇宙《うちゅう》・そのはじまりとビッグバン

いろいろな不思議《ふしぎ》がいっぱいの宇宙空間《うちゅうくうかん》！ 宇宙《うちゅう》はいつ、どんな風《ふう》にして生《う》まれたの？

　皆《みな》さんは天《あま》の川《がわ》を見《み》たことがありますか。天《あま》の川《がわ》として見《み》える私《わたし》たちの銀河系《ぎんがけい》の直径《ちょっけい》は、およそ10万光年《まんこうねん》。地球《ちきゅう》と太陽《たいよう》の距離《きょり》の、約《やく》30億倍《おくばい》という長《なが》さです。宇宙《うちゅう》には、このような銀河《ぎんが》が数千億《すうせんおく》という単位《たんい》で存在《そんざい》しています。これらの銀河系《ぎんがけい》を観測《かんそく》した結果《けっか》、遠《とお》い銀河《ぎんが》ほど速《はや》いスピードで遠《とお》ざかっていることがわかりました。つまり、宇宙《うちゅう》がもの凄《すご》いスピードで膨張《ぼうちょう》していることが確《たし》かめられたのです。

　では、宇宙《うちゅう》が現在《げんざい》も大《おお》きくなり続《つづ》けているということは、何《なに》を意味《いみ》するのでしょうか？将来《しょうらい》に向《む》かって大《おお》きくなっている、ということは、過去《かこ》の時点《じてん》では小《ちい》さかったことになりますよね。宇宙《うちゅう》の過去《かこ》を考《かんが》えていくと、それは昔《むかし》になればなるほど小《ちい》さく、最終的《さいしゅうてき》には「はじまり」の一点《いってん》になるはずです。そのはじまりの一点《いってん》・宇宙誕生《うちゅうたんじょう》の瞬間《しゅんかん》は「ビッグバン」という大爆発《だいばくはつ》だったといわれ、そのときに「時間《じかん》」と「空間《くうかん》」が誕生《たんじょう》したとされています。また、ビッグバンによる誕生《たんじょう》のほかにも、さまざまな説《せつ》がとなえられています。

宇宙《うちゅう》の誕生《たんじょう》とビッグバン

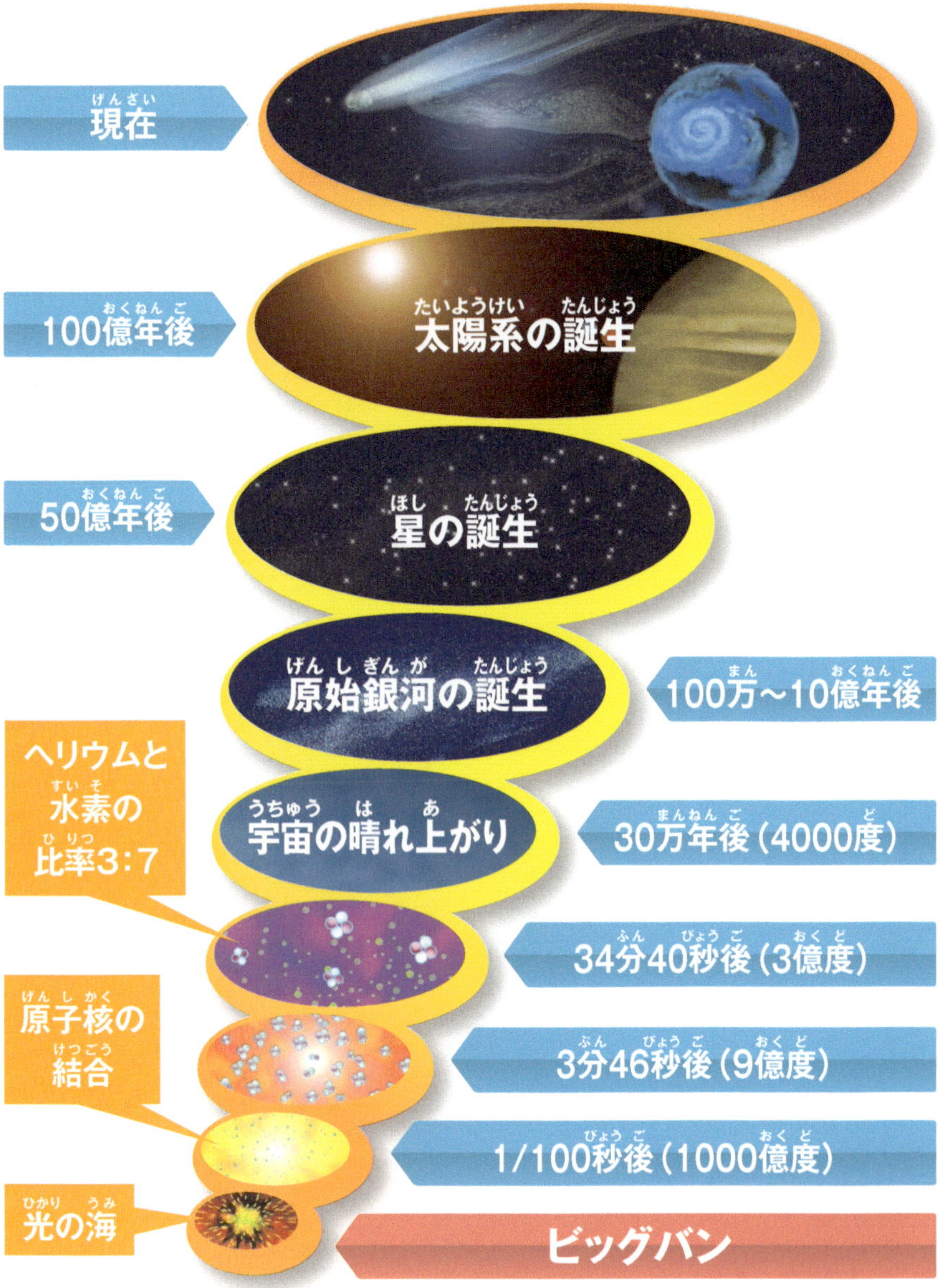

これがナゾのこたえだ!

約《やく》150億年前《おくねんまえ》にビッグバンと呼《よ》ばれる大爆発《だいばくはつ》によって誕生《たんじょう》したとされる説《せつ》が有力《ゆうりょく》です。

▲現在《げんざい》の宇宙《うちゅう》は、約《やく》3:7の比率《ひりつ》のヘリウムと水素《すいそ》でできています

1957年《ねん》10月《がつ》、旧《きゅう》ソ連《れん》は人類初《じんるいはつ》の人工衛星《じんこうえいせい》スプートニクの打《う》ち上《あ》げに成功《せいこう》しました。これに刺激《しげき》されたアメリカは、1961年《ねん》に人類初《じんるいはつ》の有人宇宙飛行《ゆうじんうちゅうひこう》を成功《せいこう》させたのです。写真《しゃしん》は1969年《ねん》7月《がつ》20日《はつか》、アメリカのアポロ11号《ごう》の船長《せんちょう》ニール・アームストロングが、月面《げつめん》にしるした最初《さいしょ》の一歩《いっぽ》です。

データ 宇宙《うちゅう》は現在《げんざい》も光《ひかり》の速《はや》さで膨張《ぼうちょう》を続《つづ》けています。このまま永遠《えいえん》に膨張《ぼうちょう》を続《つづ》けるのか、あるいは、いつか膨張《ぼうちょう》をやめるのか。宇宙《うちゅう》が膨張《ぼうちょう》をやめるということは、その時点《じてん》から収縮《しゅうしゅく》に転《てん》じ、最後《さいご》にはふたたび「ビッグバン」の一点《いってん》に戻《もど》ることを意味《いみ》します。

ふしぎクイズ アメリカの素粒子物理学者《そりゅうしぶつりがくしゃ》スティーブ・ワインバーグは、宇宙《うちゅう》の誕生《たんじょう》の100分《ぶん》の1秒後《びょうご》からの宇宙《うちゅう》のようすを理論的《りろんてき》に組《く》み立《た》てた著書《ちょしょ》を発表《はっぴょう》しました。その本《ほん》の名前《なまえ》は何《なん》でしょう?

3ページ前《まえ》のこたえ　ガリレオ・ガリレイ

不思議《ふしぎ》な建物《たてもの》

ラサのポタラ宮《きゅう》

チベット文化《ぶんか》を象徴《しょうちょう》する、ダライ・ラマの宮殿《きゅうでん》！いろいろな建物《たてもの》があるけど何《なに》に使《つか》われていたの？

ダライ・ラマの宮殿《きゅうでん》としてラサの中心部《ちゅうしんぶ》の小高《こだか》い丘《おか》に建《た》てられたポタラ宮《きゅう》は、チベット文化《ぶんか》の象徴《しょうちょう》です。宮殿《きゅうでん》の主楼《しゅろう》は13階建《かいだ》て、部屋数《へやかず》はなんと1000室《しつ》以上《いじょう》あるといわれています。ヒマラヤの山々《やまやま》を背負《せお》って建《た》つ13層《そう》の外観《がいかん》から「垂直《すいちょく》のベルサイユ」とも呼《よ》ばれています。ポタラとはチベット語《ご》で「観音菩薩《かんのんぼさつ》が住《す》む地《ち》」という意味《いみ》。そしてダライ・ラマは観音菩薩《かんのんぼさつ》の化身《けしん》とされ、政治《せいじ》・宗教両面《しゅうきょうりょうめん》の最高権威《さいこうけんい》としてチベットに君臨《くんりん》してきました。

ここはダライ・ラマ政権《せいけん》の政治機能《せいじきのう》があった白宮《はっきゅう》と、歴代《れきだい》ダライ・ラマの霊廟《れいびょう》がある紅宮《こうきゅう》を中心《ちゅうしん》に構成《こうせい》されています。白宮《はっきゅう》はその名前《なまえ》の通《とお》り、白《しろ》い建物《たてもの》でダライ・ラマの居室《きょしつ》があったところ。紅宮《こうきゅう》は赤《あか》や金《きん》で装飾《そうしょく》され、その豪華《ごうか》さに圧倒《あっとう》されます。紅宮《こうきゅう》は宗教色《しゅうきょうしょく》が濃《こ》く、ダライ・ラマ5世《せい》のミイラが納《おさ》められた霊塔《れいとう》など数多《かずおお》くの仏像《ぶつぞう》や神《かみ》の像《ぞう》がまつられています。ほかにも彫刻《ちょうこく》や壁画《へきが》、金製品《きんせいひん》などもあり、「世界《せかい》の屋根《やね》の美《うつく》しい真珠《しんじゅ》」と呼《よ》ばれています。

これがナゾのこたえだ!

ダライ・ラマが政治《せいじ》を行《おこな》っていたところ。ダライ・ラマ5世《せい》のミイラや仏像《ぶつぞう》や彫刻《ちょうこく》などを納《おさ》めています。

▲ダライ・ラマ5世《せい》からすべての重大《じゅうだい》な宗教《しゅきょう》、政治式典《せいじしきてん》はここで行《おこな》われました

チベット仏教《ぶっきょう》の総本山《そうほんざん》として、現在《げんざい》でも熱心《ねっしん》な信者《しんじゃ》が全国各地《ぜんこくかくち》から巡礼《じゅんれい》に訪《おとず》れる場所《ばしょ》でもあります。

データ ポタラ宮《きゅう》は7世紀《せいき》、吐蕃王朝《とばんおうちょう》ソンツェンガンポの時代《じだい》に建立《こんりゅう》され、太陽《たいよう》の照射《しょうしゃ》、採光《さいこう》、通気《つうき》などチベット独特《どくじ》の気候条件《きこうじょうけん》を考慮《こうりょ》して、設計《せっけい》・建造《けんぞう》されました。宮殿内《きゅうでんない》の柱《はしら》・梁《はり》には彫刻《ちょうこく》が施《ほどこ》され、壁《かべ》にはさまざまな絵《え》が描《えが》かれています。

ふしぎクイズ

チベット仏教《ぶっきょう》の最高指導者《さいこうしどうしゃ》であるダライ・ラマ。代々予言《だいだいよげん》に基《もと》づいた生《う》まれ変《か》わりの化身《けしん》によって引《ひ》き継《つ》がれてきましたが、現在《げんざい》の指導者《しどうしゃ》は何世《なんせい》になるでしょうか?

3ページ前《まえ》のこたえ　宇宙創成《うちゅうそうせい》はじめの三分間《さんぷんかん》

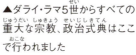

サグラダ・ファミリア

天才《てんさい》建築家《けんちくか》として今《いま》も高《たか》い人気《にんき》を誇《ほこ》るガウディ！ユニークで独創的《どくそうてき》な建物《たてもの》の秘密《ひみつ》は？

主要《しゅよう》な作品《さくひん》が3つも世界遺産《せかいいさん》に認定《にんてい》されているひとりの天才建築家《てんさいけんちくか》がいます。その名《な》は、アントニオ・ガウディ。ガウディの設計思想《せっけいしそう》は、建築家《けんちくか》だけでなく世界中《せかいじゅう》の人《ひと》たちに現在《げんざい》でも影響《えいきょう》を与《あた》え続《つづ》けています。

スペイン・バルセロナに遺《のこ》されているガウディの建築物《けんちくぶつ》は、あまりにも私《わたし》たちの常識《じょうしき》とはかけ離《はな》れています。信《しん》じられないことに、今現在《いまげんざい》も、そこに人々《ひとびと》が住《す》み暮《く》らしている集合住宅《しゅうごうじゅうたく》の「カサ・ミラ」。外壁《がいへき》がすべて波《なみ》のようにうねり、出入《でい》り口《ぐち》はまるで洞窟《どうくつ》に入《はい》っていくかのような暗《くら》がりをポッカリと開《あ》けています。

そんなガウディの最大《さいだい》の代表作《だいひょうさく》でありながら、世界遺産《せかいいさん》に登録《とうろく》されていない建造物《けんぞうぶつ》がサグラダ・ファミリア（聖《せい》家族教会《かぞくきょうかい》）です。なぜなら、それはガウディ亡《な》き今《いま》も、建造《けんぞう》が続《つづ》けられている建築物《けんちくぶつ》だからです。建物《たてもの》の複雑《ふくざつ》さゆえ、当時《とうじ》は着工《ちゃっこう》から完成《かんせい》まで300年《ねん》は掛《か》かると見込《みこ》まれていました。しかし、最先端《さいせんたん》のIT技術《ぎじゅつ》を活用《かつよう》することで2026年《ねん》には完成《かんせい》を迎《むか》えるそうです。

※ガウディが手《て》がけた建物《たてもの》の一部《いちぶ》のみ2005年《ねん》に世界遺産《せかいいさん》に登録《とうろく》されました。

これがナゾのこたえだ!

ガウディ建築《けんちく》には心《こころ》ゆさぶる造形《ぞうけい》と心地《ここち》よい機能性《きのうせい》が、バランスよく兼《か》ね備《そな》わっています。特異《とくい》な建築《けんちく》デザインは一見奇抜《いっけんきばつ》に見《み》えますが、実《じつ》は光《ひかり》の反射《はんしゃ》をたくみに操《あやつ》って計算《けいさん》されてできた形《かたち》なのです。

▲着工《ちゃっこう》から100年《ねん》以上《いじょう》経《た》つ現在《げんざい》も建《けん》築工事中《ちくこうじちゅう》のサグラダ・ファミリア

サグラダ・ファミリアの塔《とう》の上部《じょうぶ》は展《てん》望台《ぼうだい》になっていて、バルセロナの街並《まちな》みを一望《いちぼう》できます。

データ

石像彫刻《せきぞうちょうこく》が並《なら》ぶ正面《しょうめん》の装飾《そうしょく》といい、従来《じゅうらい》の教会建築《きょうかいけんちく》の常識《じょうしき》から大《おお》きく外《はず》れています。しかし、この形《かたち》は単《たん》にユニークというだけではなく、綿密《めんみつ》な計算《けいさん》に基《もと》づいたもの。凹凸《おうとつ》の組《く》み合《あ》わせやらせん形状《けいじょう》を多《おお》く使《つか》って建物内部《たてものないぶ》に光《ひかり》を集《あつ》めています。

ふしぎクイズ

サグラダ・ファミリアが現在完成《げんざいかんせい》しているのは、地下聖堂《ちかせいどう》と「イエス降誕《こうたん》のファサード」と呼《よ》ばれているファサード部分《ぶぶん》だけ。このファサードは日本人彫刻家《にほんじんちょうこくか》の作品《さくひん》「ハープの像《ぞう》」も含《ふく》まれています。では、この日本人彫刻家《にほんじんちょうこくか》とは誰《だれ》でしょう?

2ページ前《まえ》のこたえ　ダライ・ラマ14世《せい》

聖《せい》ワシリイ聖堂《せいどう》

ロシアにある教会《きょうかい》の屋根《やね》って、面白《おもしろ》いね！どうして玉《たま》ネギみたいに丸《まる》っこい形《かたち》なの？

この聖堂《せいどう》はモスクワ大公《たいこう》イヴァン雷帝《らいてい》が、１５５２年《ねん》にカザン汗国《かんこく》を征服《せいふく》したことを記念《きねん》して建《た》てた聖堂《せいどう》です。完成《かんせい》は１５６０〜61年《ねん》、モスクワにある、有名《ゆうめい》な「赤《あか》の広場《ひろば》」にあります。

この屋根《やね》の形《かたち》は、一般的《いっぱんてき》には「ネギ坊主《ぼうず》」型《がた》と呼《よ》ばれていて、ロシアのキリスト教《きょう》（正教《せいきょう》）独特《どくとく》のものです。この聖《せい》ワシリイ聖堂《せいどう》は特《とく》にキリスト教《きょう》とは思《おも》えないほど、斬新《ざんしん》な設計《せっけい》でイスラム教《きょう》や東洋《とうよう》の影響《えいきょう》を受《う》けているともいわれています。

これがナゾのこたえだ！

ロシアのキリスト教《きょう》の建物《たてもの》に多《おお》く見《み》られ、〝炎《ほのお》〟の形《かたち》を現《あらわ》し、教会内部《きょうかいないぶ》の聖霊《せいれい》の活躍《かつやく》を意味《いみ》しているそうです。

▲真《ま》ん中《なか》の高《たか》い尖塔《せんとう》を囲《かこ》むように、8つの「ネギ坊主《ぼうず》」型《がた》の塔《とう》が建《た》っています（写真《しゃしん》では5つしか見《み》えない）

ジェンネの大《だい》モスク

モスクって何《なん》ですか？ これもモスク？ 建物《たてもの》から飛《と》び出《だ》している棒《ぼう》のようなものは？

ジェンネはアフリカのマリという国《くに》にあります。このジェンネの大《だい》モスクは1300年頃《ねんごろ》建《た》てられ、19世紀《せいき》に破壊《はかい》されてしまいます。現在《げんざい》のモスクは1906～07年《ねん》に再建《さいけん》されたものです。

このモスクはスーダン様式《ようしき》と呼《よ》ばれ、日干《ひぼ》しレンガを積《つ》み、壁《かべ》には泥《どろ》が塗《ぬ》ってあります。この泥《どろ》は雨季《うき》に備《そな》えて毎年《まいとし》、塗《ぬ》り替《か》えられるため、その時《とき》の足場《あしば》としてヤシ材《ざい》の木《き》がたくさん壁《かべ》から飛《と》び出《だ》しています。

▲大《おお》きさは1辺《ぺん》が50m、高《たか》さは20mあります。陽《ひ》の加減《かげん》で壁《かべ》の色《いろ》が変《か》わって見《み》えるようです

これがナゾのこたえだ！

モスクはイスラム教《きょう》の礼拝堂《れいはいどう》のこと。このモスクの壁《かべ》は泥《どろ》で、飛《と》び出《だ》ている「木《き》」は塗《ぬ》り替《か》えの時《とき》に使《つか》う足場《あしば》です。

2ページ前《まえ》のこたえ　外尾悦郎《そとおえつろう》

スターブ教会《きょうかい》

バイキング文化《ぶんか》の影響《えいきょう》が大《おお》きい木造《もくぞう》の教会《きょうかい》。屋根《やね》には十字架《じゅうじか》ではなく龍頭《りゅうとう》が飾《かざ》られている!?

ノルウェーには、スターブ教会《きょうかい》という木造《もくぞう》の教会《きょうかい》があります。ヨーロッパの教会《きょうかい》は、ほとんどが石《いし》やレンガを使《つか》った建物《たてもの》で、木《き》でできているのはとても珍《めずら》しいのです。

１１００年《ねん》～１３００年《ねん》にかけてノルウェーには約《やく》１０００ものスターブ教会《きょうかい》があったようですが、現在《げんざい》では約《やく》28まで減《へ》ってしまいました。屋根《やね》に龍頭《りゅうとう》を飾《かざ》るなど、バイキング文化《ぶんか》の影響《えいきょう》を大《おお》きく受《う》けた装飾《そうしょく》や建築様式《けんちくようしき》が特徴《とくちょう》です。

▲1150年《ねん》から1200年《ねん》ごろに建《た》てられたボルグンスターブ教会《きょうかい》

これがナゾのこたえだ!

たしかに、スターブ教会《きょうかい》は龍頭《りゅうとう》がシンボルとなっていますが、もちろん十字架《じゅうじか》もあります。龍頭《りゅうとう》はバイキングでは魔除《まよ》けとして使《つか》われていました。

アヤ・ソフィア

イスラム教《きょう》の代表的《だいひょうてき》なドーム建築《けんちく》のアヤ・ソフィア。最初《さいしょ》は、キリスト教《きょう》の聖堂《せいどう》として建《た》てられた!?

かつて、ローマ帝国《ていこく》、ビザンティン帝国《ていこく》、オスマン帝国《ていこく》という3つの大帝国《だいていこく》の首都《しゅと》として栄《さか》えた街《まち》、イスタンブール。アジアとヨーロッパの2つの大陸《たいりく》にまたがっていることから、独特《どくとく》の文化《ぶんか》が誕生《たんじょう》しました。

街並《まちな》みの特徴《とくちょう》といえるのが、モスクをはじめとするドーム建築《けんちく》の建物《たてもの》。なかでも有名《ゆうめい》なのが、アヤ・ソフィアです。6世紀《せいき》のビザンティン建築《けんちく》でもっとも重要《じゅうよう》な建造物《けんぞうぶつ》として注目《ちゅうもく》されています。

▲高《たか》さ地上《ちじょう》55m、直径《ちょっけい》33mもの巨大《きょだい》なドームを持《も》つアヤ・ソフィア

これがナゾのこたえだ!

最初《さいしょ》はキリスト教《きょう》の大聖堂《だいせいどう》として360年《ねん》に建《た》てられ改築《かいちく》が繰《く》り返《かえ》されました。その後《ご》、イスラム教《きょう》のモスクとして改《かい》築《ちく》したのです。

厳島神社《いつくしまじんじゃ》

世界遺産《せかいいさん》にも登録《とうろく》されている厳島神社《いつくしまじんじゃ》。この大鳥居《おおとりい》はどうして海《うみ》に造《つく》られたの？

日本三景《にほんさんけい》のひとつに数《かぞ》えられる安芸《あき》の宮島《みやじま》。厳島神社《いつくしまじんじゃ》は宮島《みやじま》の豊《ゆた》かな緑《みどり》を背景《はいけい》に海上《かいじょう》から高《たか》さ16ｍもの大鳥居《おおとりい》をせり出《だ》しています。推古天皇《すいこてんのう》の即位《そくい》した593年《ねん》につくられたと伝《つた》えられ、現在《げんざい》見《み》られるような姿《すがた》になったのは平清盛《たいらのきよもり》の時代《じだい》。厳島《いつくしま》は昔《むかし》から島全体《しまぜんたい》が信仰《しんこう》の対象《たいしょう》となっていて海《うみ》の神様《かみさま》をまつっていたので竜宮城《りゅうぐうじょう》を再現《さいげん》したという説《せつ》と来世《らいせい》に船《ふね》で渡《わた》る浄土信仰《じょうどしんこう》のひとつのあらわれという説《せつ》が、海中《かいちゅう》を敷地《しきち》にした理由《りゆう》として伝《つた》えられています。

▲クスの自然木《しぜんぼく》で造《つく》られた大鳥居《おおとりい》は平安《へいあん》時代《じだい》から数《かぞ》えて8代目《だいめ》にあたる

これがナゾのこたえだ！

厳島《いつくしま》そのものが信仰《しんこう》の対象《たいしょう》としてあがめられてたからという説《せつ》が有力《ゆうりょく》のようです。日本《にほん》の歴史《れきし》には811年《ねん》にはじめて記録《きろく》されています。

世界史《せかいし》年表《ねんぴょう》

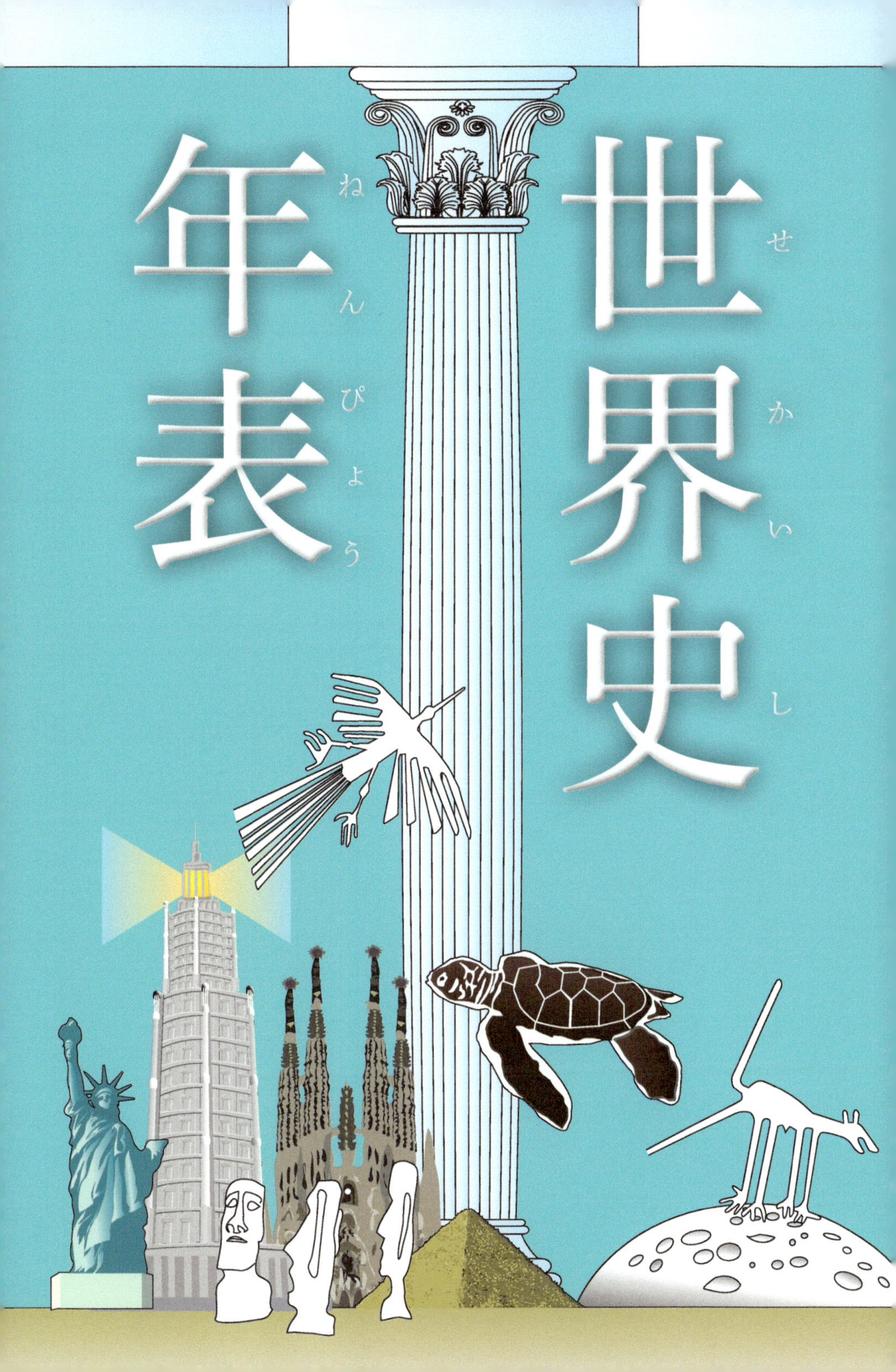

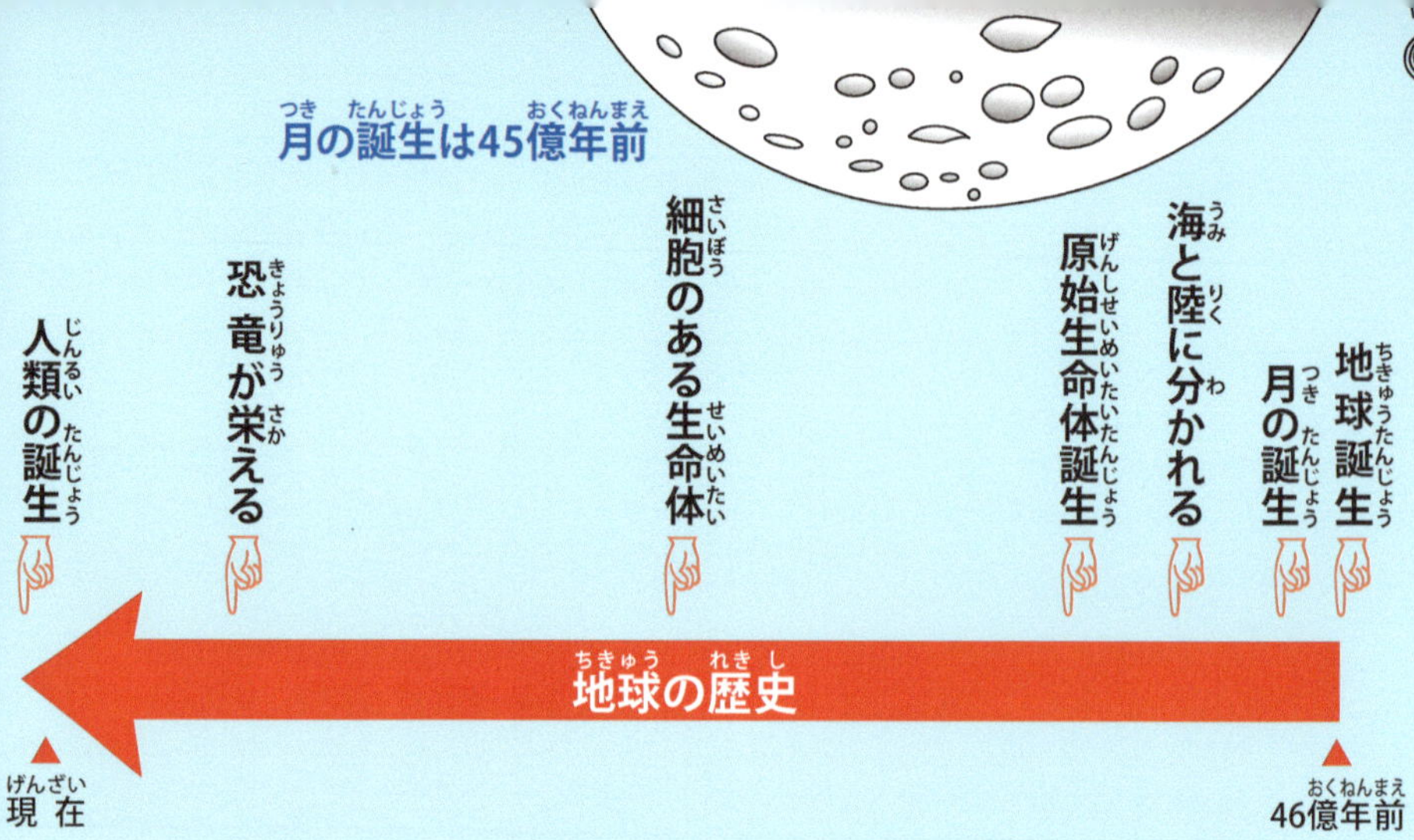

地球《ちきゅう》の歴史《れきし》

46億年前《おくねんまえ》に地球《ちきゅう》が生《う》まれたといわれます。

46億年前《おくねんまえ》って、どのくらいでしょうか？ では46億年前《おくねんまえ》を365日《にち》、1年《ねん》にしてみましょう。1月1日《がつついたち》の午前《ごぜん》0時《じ》に地球《ちきゅう》が生《う》まれます。

海《うみ》と陸《りく》ができるのが2月9日《がつここのか》。原始生命体《げんしせいめいたい》は2月《がつ》の末《すえ》に生《う》まれます。細胞《さいぼう》のある生命体《せいめいたい》はずっとあと、7月《がつ》に入《はい》ってからです。でも、まだ大気《たいき》が生命体《せいめいたい》を増《ふ》やすには不十分《ふじゅうぶん》です。11月《がつ》の中頃《なかごろ》です。この頃《ころ》からたくさんの生命体《せいめいたい》が地球上《ちきゅうじょう》に生《う》まれては絶滅《ぜつめつ》します。

あの恐竜《きょうりゅう》が地球《ちきゅう》を支配《しはい》するのは12月《がつ》12、13日《にち》のこと。まだまだ人間《にんげん》の祖先《そせん》は地球上《ちきゅうじょう》にいません。

さて、猿人《えんじん》が登場《とうじょう》するのは、大晦日《おおみそか》の午前《ごぜん》10時《じ》40分頃《ぶんころ》です。そして、私《わたし》たちに近《ちか》い新人《しんじん》が生《う》まれるのは、もうその年《とし》の終《お》わり、11時《じ》37分《ふん》のこと。あと23分《ぷん》が、人間《にんげん》の歴史《れきし》の全《すべ》てなのです。

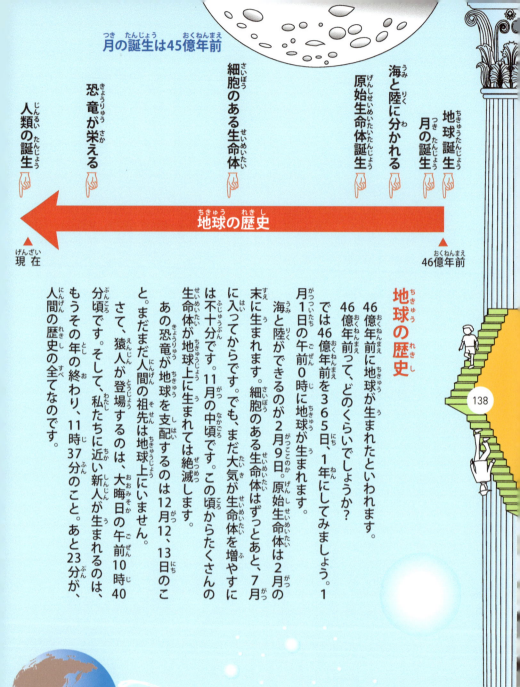

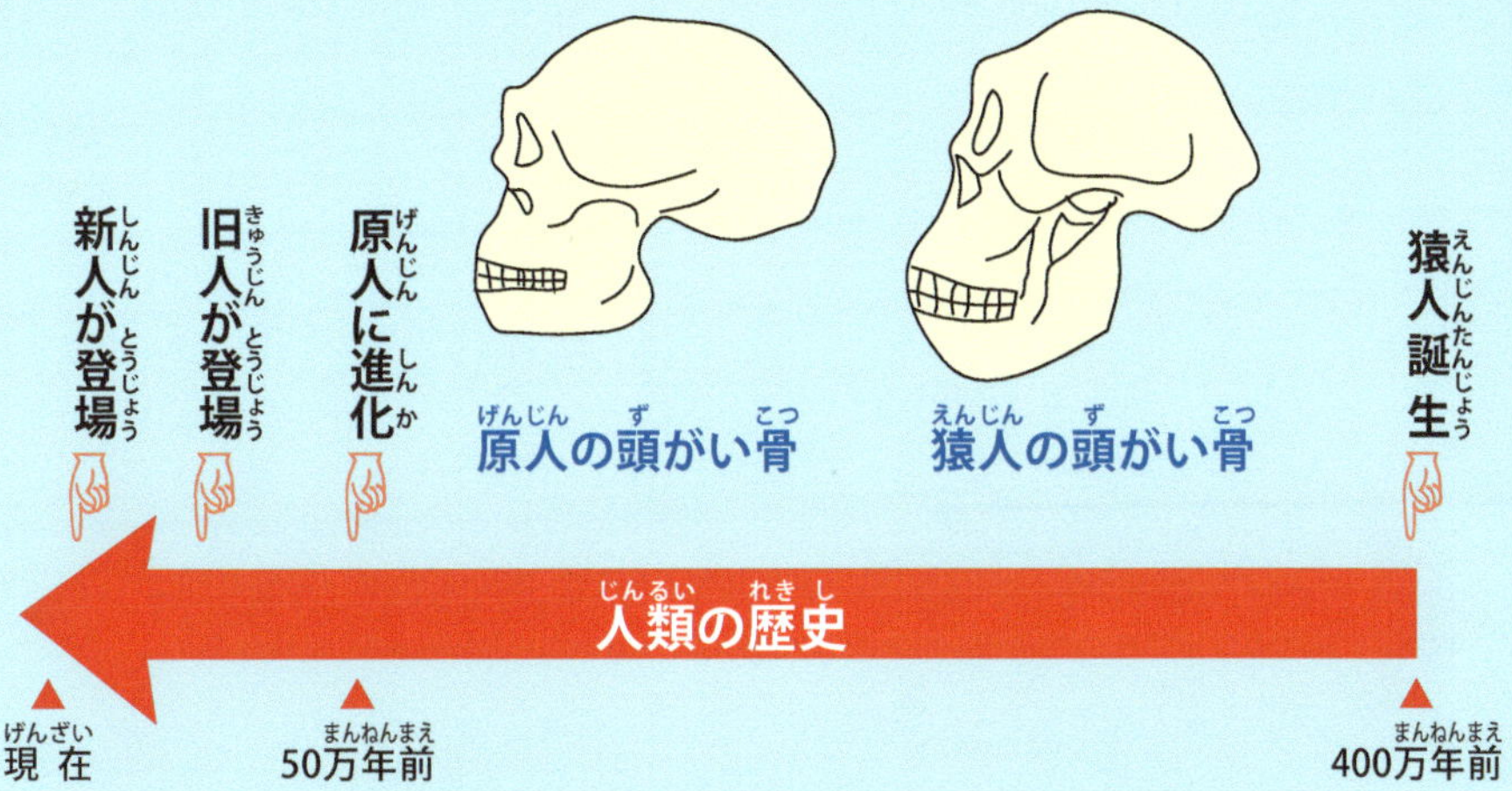

人類《じんるい》の歴史《れきし》

400万年前《まんねんまえ》

今《いま》のアフリカ大陸《たいりく》のナイル川《がわ》からインド洋側《ようがわ》にある場《ば》所《しょ》に「猿人《えんじん》」がいました。現在《げんざい》のタンザニア・オルドバイ渓谷《けいこく》から骨《ほね》が発見《はっけん》され、人類《じんるい》のはじまりはアフリカ大陸《たいりく》といわれています。

180万年前《まんねんまえ》

「猿人《えんじん》」から「原人《げんじん》」に進化《しんか》。「猿人《えんじん》」と「原人《げんじん》」の大《おお》きな違《ちが》いは、頭《ず》がい骨《こつ》の形《かたち》。「猿人《えんじん》」の頃《ころ》から頭《ず》がい骨《こつ》が大《おお》きくなったのは、「言葉《ことば》」を使《つか》い始《はじ》めたためといわれています。

50～30万年前《まんねんまえ》

「旧人《きゅうじん》」が登場《とうじょう》します。「旧人《きゅうじん》」は、アフリカ大陸《たいりく》のほぼ全土《ぜんど》、ヨーロッパ（北欧《ほくおう》、ロシアをのぞいた地域《ちいき》）、アジア全《ぜん》域《いき》、オーストラリアまでの広《ひろ》い地域《ちいき》に住《す》んでいたのです。

4～3万年前《まんねんまえ》

「新人《しんじん》」が登場《とうじょう》します。現在《げんざい》の大陸《たいりく》の90％で骨《ほね》などがみつかり、ネグロイド、オーストラロイド、コーカソイド、モンゴロイドの四大人種《よんだいじんしゅ》が確立《かくりつ》されました。

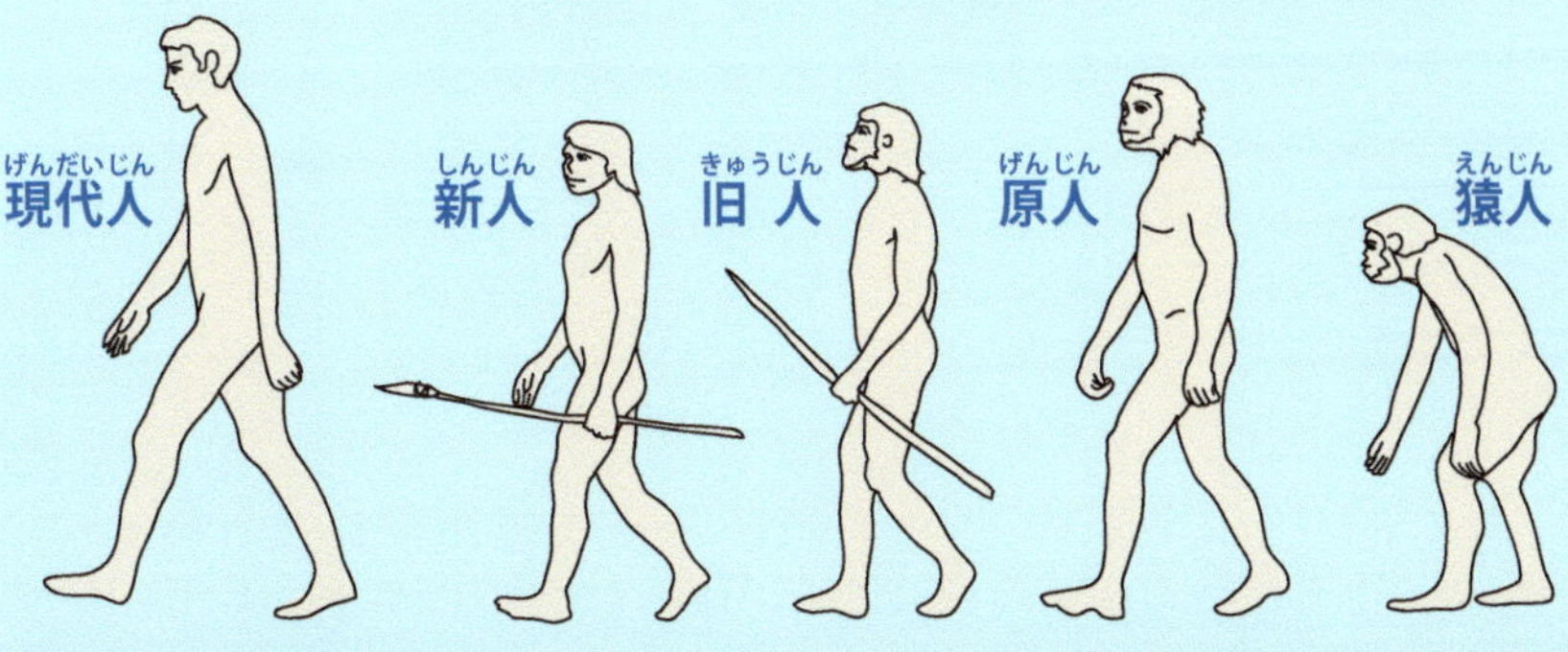

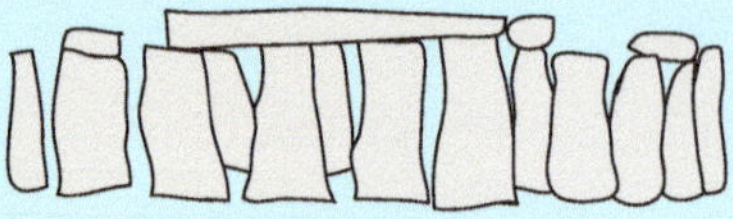

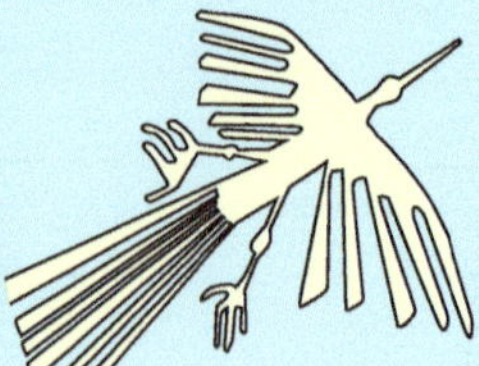

文明《ぶんめい》のはじまり
黄河《こうが》文明《ぶんめい》

ストーンヘンジの
古《ふる》い部分《ぶぶん》は
紀元前《きげんぜん》3100年頃《ねんごろ》

ストーンヘンジ

エーゲ海文明《かいぶんめい》

ナスカの地上絵《ちじょうえ》

ナスカ文明《ぶんめい》が栄《さか》える

世界《せかい》の歴史《れきし》

紀元前《きげんぜん》6000年《ねん》

紀元前《きげんぜん》4000年《ねん》

紀元前《きげんぜん》2000年《ねん》

西暦元年《せいれきがんねん》

ギザ最大《さいだい》のクフ王《おう》のピラミッド
紀元前《きげんぜん》2580年頃《ねんごろ》

エジプトツタンカーメン王《おう》
紀元前《きげんぜん》1340年頃《ねんごろ》

文明《ぶんめい》のはじまり

紀元前《きげんぜん》6000年頃《ねんごろ》
・現在《げんざい》の中国《ちゅうごく》・黄河《こうが》ちかくで農耕《のうこう》がはじまる

紀元前《きげんぜん》4000年頃《ねんごろ》
・ティグリス川《がわ》ちかくで都市文明《としぶんめい》がつくられはじめる
・現在《げんざい》のメキシコでとうもろこしの栽培《さいばい》がはじまる

紀元前《きげんぜん》3500年頃《ねんごろ》
・ナイル川《がわ》のちかくに都市国家《としこっか》がつくられる

紀元前《きげんぜん》3000年頃《ねんごろ》
・エーゲ海文明《かいぶんめい》

紀元前《きげんぜん》2500年頃《ねんごろ》
・インダス川《がわ》ちかくで都市《とし》文明《ぶんめい》がつくられる

紀元前《きげんぜん》1000年頃《ねんごろ》
・中央《ちゅうおう》アンデス、チャビン文明《ぶんめい》がつくられる

国家《こっか》のなりたち

紀元前《きげんぜん》3000年頃《ねんごろ》
・エジプト、統一《とういつ》国家《こっか》の形成《けいせい》

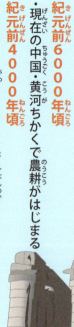

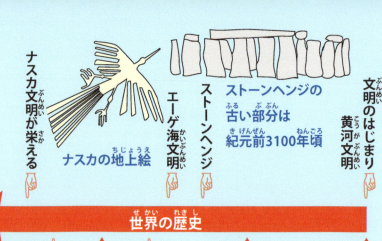

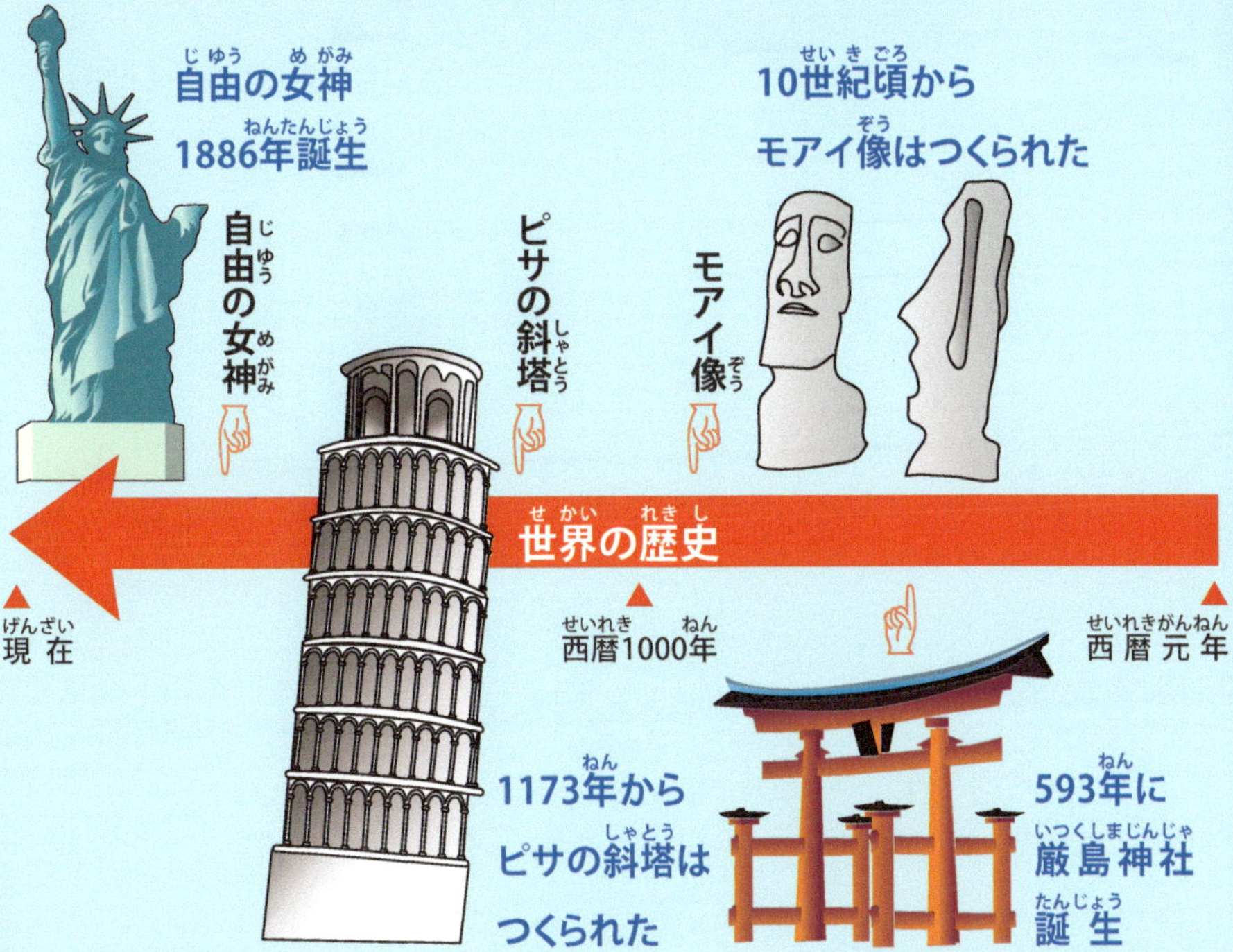

・メソポタミアにシュメール人《じん》の都市国家《としこっか》

紀元前《きげんぜん》2000年頃《ねんごろ》

・古《こ》バビロニア王国《おうこく》

紀元前《きげんぜん》1500年頃《ねんごろ》

・殷王朝《いんおうちょう》の成立《せいりつ》

紀元前《きげんぜん》750年頃《ねんごろ》

・古代《こだい》ローマができる

紀元前《きげんぜん》450年頃《ねんごろ》

・ギリシア文化《ぶんか》の全盛時代《ぜんせいじだい》

紀元前《きげんぜん》334年頃《ねんごろ》

・アレクサンドロス大王《だいおう》が東方《とうほう》に領土《りょうど》を広《ひろ》げる

・日本《にほん》の弥生時代《やよいじだい》

紀元前《きげんぜん》221年頃《ねんごろ》

・始皇帝《しこうてい》が中国《ちゅうごく》を統一《とういつ》

紀元前《きげんぜん》30年頃《ねんごろ》

・クレオパトラが自殺《じさつ》、プトレマイオス朝《ちょう》がなくなる
（エジプト王朝時代《おうちょうじだい》が終《お》わる）

紀元前《きげんぜん》27年頃《ねんごろ》

・ローマ帝政《ていせい》がはじまる

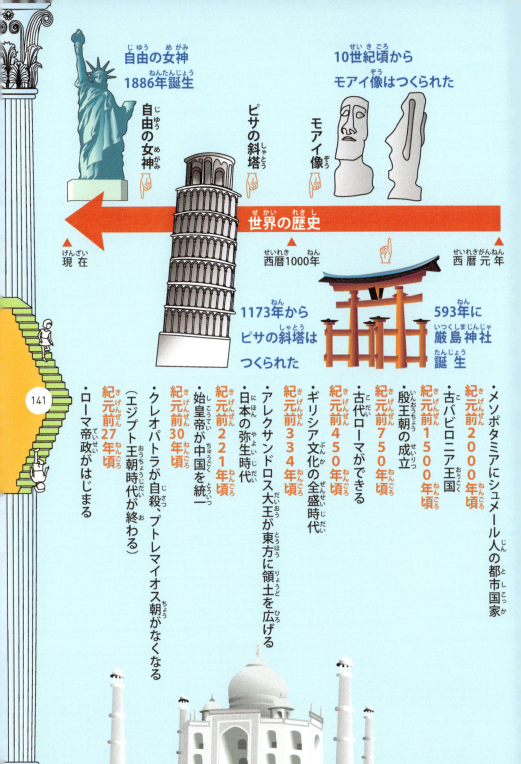

索引《さくいん》

ア

カ

サ

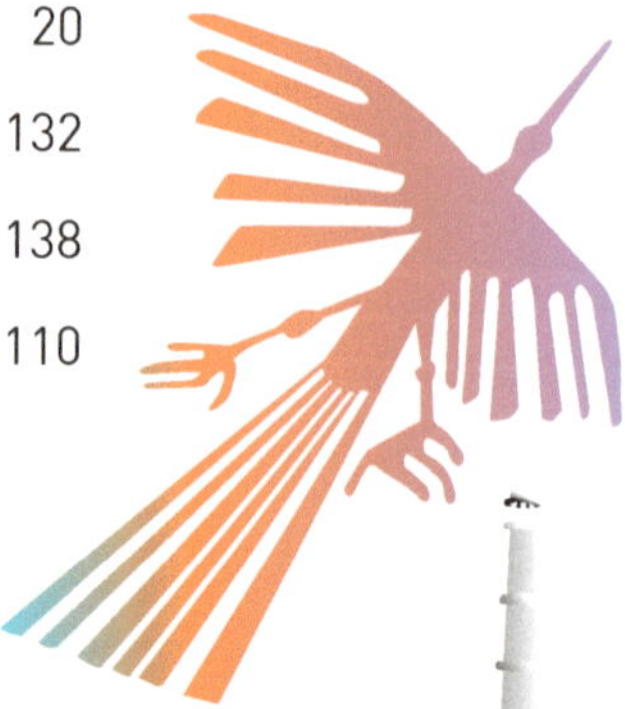

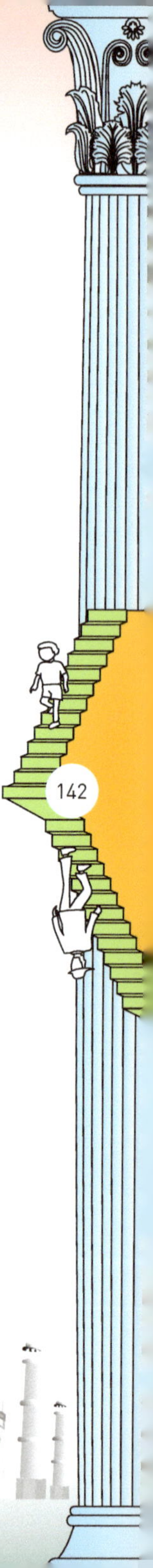

[編集]
浅井 精一・佐々木 秀治・加藤 洋介・
一條 収・盛田 真佐江・藤田 貢也・
相馬 彰太

[デザイン]
田畑 卓也・斎藤 美歩・小田 まゆみ・伴 愛美・
垣本 亨・藤本 丹花

[イラスト]
小守大介

みんなが知りたい!
「世界のふしぎ」がわかる本 増補改訂版

2023年4月15日 第1版・第1刷発行
2025年7月10日 第1版・第2刷発行

著　者　「世界のふしぎ」編集室(せかいのふしぎへんしゅうしつ)
発行者　株式会社メイツユニバーサルコンテンツ
　　　　代表者 大羽孝志
　　　　〒102-0093 東京都千代田区平河町一丁目1-8
印　刷　大日本印刷株式会社

ISBN978-4-7804-2762-2 C8020 Printed in Japan.

ご意見・ご感想はホームページから承っております。
ウェブサイト　https://www.mates-publishing.co.jp/

企画担当:千代 寧

※本書は2018年発行の『みんなが知りたい!「世界のふしぎ」がわかる本 新版』を元に内容の確認、新規内容を追加、書名・装丁を変更して新たに発行したものです。